中国野外观花系列06

HANDBOOK OF
WILD FLOWERS IN
SOUTHWEST CHINA

西南
野外观花手册

李 敏 宋 鼎 编著

河南科学技术出版社
·郑州·

图书在版编目（CIP）数据

西南野外观花手册 / 李敏，宋鼎编著 .—郑州：河南科学技术出版社，2015.2
（中国野外观花系列）
ISBN 978-7-5349-7205-8

Ⅰ.①西… Ⅱ.①李… ②宋… Ⅲ.①野生植物—花卉—西南地区—手册 Ⅳ.① Q949.408-62

中国版本图书馆 CIP 数据核字 (2014) 第 162104 号

生物中国 总策划：周本庆

出版发行：河南科学技术出版社
地址：郑州市经五路 66 号 邮编：450002
电话：（0371）65737028 65788613
网址：www.hnstp.cn
策　　划：李　敏　　责任编辑：杨秀芳　申卫娟
封面设计：张　伟　　版式设计：宣　晶　赵明月
责任校对：柯　姣　　责任印制：张　巍
印　　刷：北京盛通印刷股份有限公司
经　　销：全国新华书店
幅面尺寸：113mm × 181mm　印张：8　字数：215 千字
版　　次：2015 年 2 月第 1 版　2015 年 2 月第 1 次印刷
定　　价：39.80 元

序

我国地域辽阔，横跨寒温带、温带、亚热带和热带，囊括了全球除极地冻原以外的所有主要植被类型，有草原、荒漠、热带雨林、常绿阔叶林、落叶阔叶林、针叶林、高原高寒植被等，仅有花植物就有近 3 万种，是世界野生植物资源最为丰富的国家之一，被誉为“世界园林之母”。

中国植物图像库（www.plantphoto.cn）自 2008 年建站以来，得到各界学者、友人的大力支持，注册用户达 23 000 余人，共享各类植物彩色照片 200 万余幅，涵盖了中国野生植物一半以上的种类。我们从中精选出具有重要观赏价值的野生花卉 2 000 余种，照片 6 500 余幅，按照我国七大行政地理分区，分为华北、东北、华东、华中、华南、西南、西北七册出版。在物种选择上尽可能地包括本地区最具有观赏价值的野生花卉，同时为兼顾在科属水平上的代表性，同属植物仅收录其最常见到的物种。本册收录了西南地区具有重要观赏价值的野生花卉 83 科 237 属 496 种，其中 230 种为主要描述种，重点介绍了植物的分类、识别特征、花期和分布等信息，部分物种还选取了与其形态上相似的 1~2 个相近物种进行了简要描述。

为方便查找使用，本手册按照花色和花型为序编排。需要特别说明的是，植物花朵万紫千红，部分物种花色变异丰富多彩，我们将花瓣最主要的颜色分为白、黄、橙、红、紫、蓝、棕、绿等八种颜色予以索引，请使用时在相近的颜色中查阅。部分花型也仅是看起来像或者接近的花型，而非科学分类，部分可能显得比较牵强，请使用者注意辩证看待。本手册还配有常用术语图解、本地区野生花卉资源等专题性说明，文后还有中文名索引、拉丁名索引等。希望本书能成为您野外郊游识别植物的好参谋。

由于编者时间及精力有限，准备和推敲不够，错误、疏漏及欠缺之处，敬请广大读者批评指正。

中国科学院植物研究所
系统与进化植物学国家重点实验室　李　敏

昆明理工大学　宋　鼎

二〇一四年十二月

使用指南

分类名称

分别为拼音、中文名、俗名、拉丁学名*、科属。

* 拉丁学名以《Flora of China》为标准。

生境、花期**

** 花期受纬度、海拔和气温的影响较大。

形态特征

主要参考《中国植物志》网站（frps.eflora.cn）数据，有删减。

相近种概述

简要介绍与本种花形相近（花色可能不同）的1~2种花卉的特征，以及对应的图片编号。

dùlí
杜梨
Pyrus betulifolia Bunge
科属：蔷薇科，梨属。
生境：平原或山坡阳处。
花期：4月。

乔木。树冠开展，枝常具刺；二年生枝条紫褐色。叶片菱状卵形至长圆卵形，先端渐尖，基部宽楔形，具齿。伞形总状花序，有花10~15朵；苞片膜质，线形，早落；萼片三角卵形，先端急尖，全缘；花瓣宽卵形，先端圆钝，基部具有短爪，白色；雄蕊20枚，花药紫色，长约花瓣之半；花柱2~3个。果实近球形，褐色，有淡色斑点，萼片脱落。①②③

相近种　山荆子（*Malus baccata* (Linnaeus) Borkhausen）萼片披针形，先端渐尖；花瓣白色，倒卵形，基部有短爪④。

16

检索顺序（快速索引页码参见护封握口）

第一步：判断花色

白　黄　橙　红　紫　蓝　棕　绿

第二步：判断花型

辐射对称花　头状花序　左右对称花　穗状花序　伞状花序

花色花型索引

花色和花型排序，底色为花色、图案为花型。

花型大致分为辐射对称花、头状花序、左右对称花、穗状花序、伞状花序五类。一般花小而多的，则按照花序排列。

目 录

术语图解

花的结构

花是被子植物的繁育器官，在其生活周期中占有极其重要的地位。花可以看作是一种不分枝，节间缩短，适应于生殖的变态短枝，花梗和花托是枝条的一部分，花萼、花冠、雌蕊和雄蕊是着生于花托上的变态叶。

同时具有花萼、花冠、雌蕊和雄蕊的花为完全花，缺少其中一部分的花为不完全花。一朵花中既有雌蕊又有雄蕊的花是两性花，只有雌蕊的单性花为雌花，只有雄蕊的单性花为雄花。部分植物无花冠称为单被花，其花萼特化为花瓣状，如铁线莲、郁金香等。生于花下方的叶称为苞片，有时也特化为花瓣状，如珙桐、四照花、叶子花等。

花型

十字形花冠　漏斗状花冠　钟状花冠　轮(辐)状花冠　蝶形花冠　唇形花冠　筒状花冠　舌状花冠

花序

总状花序　穗状花序　头状花序　伞形花序　伞房花序

叶的结构

叶型

单叶（全缘）　单叶（羽状分裂）　单叶（掌状分裂）　羽状复叶　掌状复叶

叶形

条形　披针形　卵形　椭圆形　圆形　心形　戟形

叶缘

全缘　锯齿　重锯齿　波状　钝齿状　半裂　掌状深裂　羽状深裂

叶序

叶互生　叶对生　叶轮生　叶簇生

西南观花指南

本手册所指西南地区包括四川省、云南省、贵州省、重庆市和西藏自治区，共三省一市一自治区，位于我国西南部，东南与缅甸、老挝、越南等东南亚国家接壤，西南及南面连接印度、尼泊尔、不丹等南亚国家，北面及东面则与西北地区、华中地区和华南地区相连。

西南地貌以高原、山地和盆地为主，还有广泛分布的喀斯特地貌、冰川和冰缘地貌、火山地貌、河谷地貌和盆地地貌等，主要包括青藏高原、云贵高原和四川盆地等区域。地势西高东低、北高南低，起伏大，高峰众多，为其他区域所罕见，最高海拔为西藏自治区和尼泊尔交界处的珠穆朗玛峰，海拔 8 844.43 米，同时也是世界最高峰，最低处为云南南溪河与红河汇集的中越边界交界处，海拔 76.4 米，相对高差近 8 700 米。近距离内的岭谷高差也颇为悬殊，常常达 2 000~3 000 米，有些地方甚至超过 4 000 米。

西南区在我国以多深而长的峡谷著称。川西、滇西山地岷江、大渡河、雅砻江、金沙江、澜沧江、怒江等大河及其支流的纵向构造谷地，大多以峡谷占优势。多列深邃的峡谷与高大山脉相间并列，蔚为壮观，同时成为阻隔川藏、滇藏交通的屏障。金沙江峡谷群总长度超过 1 000 千米，位于石鼓以下的虎跳峡岭谷高差最大可达 5 000 米，在 16 千米距离内落差 170 米，而江面最窄处仅有 30 米，堪称一绝。

西南地区河流纵横，峡谷广布，亚洲大河中长江、黄河、伊洛瓦底江、怒江、澜沧江、雅鲁藏布江、元江、西江的干支流或其上游都流经该地区，具有水资源丰富、时空分布极不均匀、来水与需水时空分布极不相应的特点。本区的湖泊主要为高原湖泊，基本集中在三个区域：第一，藏北高原湖泊区，包括西藏的阿里、那曲、日喀则三个地区的部分区域，主要代表湖泊为纳木错；第二，滇中高原湖泊密集区，包括云南的中南部昆明以南的地区，主要代表湖泊为滇池、抚仙湖；第三，滇西北高原湖泊分布区，包括大理以北的云南省内地区，主要代表湖泊有洱海、泸沽湖等。

西南地区随着海拔的升高，由四川盆地湿润北亚热带季风气候、云贵高原低纬高原中南亚热带季风气候逐渐过渡到高山寒带气候，气候条件变化巨大，此外本区南部还分布有小部分热带季雨林气候区，干湿季分明。土壤类型以热带、亚热带的地带性土壤占一定优势，土壤垂直带性分层显著。

西南地区拥有其他区远远不及的植物多样性与丰富度。包括藏东南与四川西部、云南西北部的横断山脉地区被称为“中国西南山地生物多样性热点地区”，是世界上动植物最为丰富的温带森林。据统计，云南省以 1.7 万种稳居各省（市、自治区）第一，被称为植物王国，种类约占全国植物种类的一半；四川 1.2 万种，为全国第二；西藏约 9 千种，位列全国第四，贵州 7 千种，位列全国第五。大多数科属种以热带、亚热带区系成分为主，并有许多温带与热带、亚热带成分相互渗透，拥有古老孑遗植物丰富，单种属、寡种属及特有种数量多等特点。西南地区植被类型除不含西北地区的温带、暖温带荒漠、荒漠草原外，几乎包容了东部季风区从海南直到东北北端的几乎所有地带性植被。高黎贡山、大雪山等山地垂直带谱常由 7~8 个垂直带组成。

西南地区推荐的野外观花地点包括：云南梅里雪山、西双版纳植物园、四川峨眉山、重庆金佛山、贵州百里杜鹃风景区、西藏色季拉国家级森林公园。

hǎicàihuā

海菜花

Ottelia acuminata (Gagnep.) Dandy

科属：水鳖科，海菜花属。

生境：湖泊、池塘、沟渠及水田中。

花期：5~10 月。

沉水草本。茎短缩。叶基生，叶形变化较大，线形、长椭圆形、披针形、卵形以及阔心形，全缘或有细锯齿；叶柄长短因水深浅而异，柄上及叶背沿脉常具肉刺。花单生，雌雄异株；佛焰苞无翅，具 2~6 棱，无刺或有刺；雄佛焰苞内含 40~50 朵雄花，绿色或深绿色，披针形，花瓣 3 枚，白色，基部黄色或深黄色；雌佛焰苞内含 2~3 朵雌花，花萼、花瓣与雄花的相似。果为三棱状纺锤形，褐色，棱上有明显的肉刺和疣凸。种子多数，无毛。

①②③④

éméiqiángwēi

峨眉蔷薇 刺石榴，山石榴

Rosa omeiensis Rolfe

科属：蔷薇科，蔷薇属。
生境：山坡、山脚下或灌丛中。
花期：5~6 月。

直立灌木。小枝无刺或有扁而基部膨大的皮刺。小叶 9~13 枚，长圆形或椭圆状长圆形，有锐锯齿。花单生叶腋，萼片 4 枚，披针形，全缘，花瓣 4 枚，白色，倒三角状卵形，先端微凹；花柱离生，比雄蕊短。蔷薇果倒卵圆形或梨形，熟时亮红色。①②

相近种　**单瓣缫丝花** ***Rosa roxburghii*** f. ***normalis*** Rehder & E. H. Wilson 萼筒杯状，瘦果着生在基部突起的花托上；花柱离生不外伸③。**悬钩子蔷薇** ***Rosa rubus*** H. Lév. & Vaniot 花柱外伸，结合成柱④。

tóuzhuàngsìzhàohuā

鸡嗉子 # 头状四照花

Cornus capitata Wall.

科属：山茱萸科，山茱萸属。

生境：混交林中。

花期：5~7 月。

常绿小乔木或乔木。叶革质或薄革质，长圆形或长圆状倒卵形，稀披针形，先端锐尖，基部楔形或宽楔形。顶生圆形头状花序常由近 100 朵花组成；总苞片倒卵形或宽椭圆形。花萼管状，裂片近圆形，微反卷；花瓣倒卵状长圆形。果序扁圆形，成熟时紫红色；果序柄粗壮。①②③④

xiùqiúténg

绣球藤 柴木通，三角枫

Clematis montana Buch.-Ham. ex DC.

科属：毛茛科，铁线莲属。

生境：山坡、山谷灌丛中、林边或沟旁。

花期：4~6 月。

1

2

3

4

木质藤本。三出复叶，小叶纸质，卵形至椭圆形，先端渐尖，基部宽楔形或圆，边缘具齿。花 2~4 朵与数枚叶自老枝腋芽生出。萼片 4 枚，白色，稀带粉红色，开展，倒卵形。瘦果卵圆形，宿存花柱羽毛状。①②

相近种 **毛茛铁线莲** ***Clematis ranunculoides*** Franch. 花序顶生或腋生，顶生花较多，苞片卵形或线形，萼片 4 枚，紫红色，稀白色③。**甘川铁线莲** ***Clematis akebioides*** (Maxim.) H. J. Veitch 花序腋生具少数花，苞片似小叶，萼片 4 枚，淡绿黄色，有时带紫色④。

yúnnánshānméihuā

西南山梅花

云南山梅花

Philadelphus delavayi L. Henry

科属：虎耳草科，山梅花属。

生境：林中或林缘。

花期：6~8 月。

灌木。叶长圆状披针形或卵状披针形，先端渐尖，基部圆或楔形，具细锯齿或近全缘。总状花序有 5~9 朵花，最下分枝具 3~5 朵花呈聚伞状或总状；花萼红褐色，常具白粉，裂片卵形；花冠盘状；花瓣近圆形或宽倒卵形。蒴果倒卵形。种子具长尾。①②③

相近种 **昆明山梅花** ***Philadelphus kunmingensis*** S. M. Hwang 总状花序有花 7~13 朵，最下 1 对分枝顶端常具花 3 朵；花瓣白色，倒卵形或近圆形，基部急收狭④。

báihuādān

白花丹 白花藤，耳丁藤

Plumbago zeylanica L.

科属：白花丹科，白花丹属。

生境：污秽阴湿处或半遮阴的地方。

花期：10 月至翌年 3 月。

常绿亚灌木。茎直立，多分枝，蔓状。叶卵形，先端渐尖，基部楔形，有时耳状。穗形总状花序具 25~78 朵花；花冠白色或微带蓝色；花冠筒裂片倒卵形，先端具短尖；雄蕊与花冠近等长，花药蓝色；子房椭圆形，具 5 棱。蒴果长椭圆形，淡黄褐色。种子红褐色，先端尖。①②

相近种 **蓝花丹** ***Plumbago auriculata*** Lam. 穗形总状花序具 18~30 朵花，花冠淡蓝色③。**紫花丹** ***Plumbago indica*** L. 穗状花序具 35~90 朵花，花冠紫红色或深红色④。

chuānlí

棠梨刺 # 川梨

Pyrus pashia Buch.-Ham. ex D. Don

科属：蔷薇科，梨属。
生境：山谷斜坡、丛林中。
花期：3~4 月。

乔木。常具枝刺。叶卵形至长卵形，先端渐尖或急尖，基部圆形，边缘有钝锯齿。花 7~13 朵组成伞形总状花序。花径 2~2.5 厘米；被丝托杯状，萼片三角形，先端急尖；花瓣白色，倒卵形，先端圆或啮齿状；雄蕊 25~30 枚，稍短于花瓣。果近圆形，褐色，有斑点，萼片脱落。①②③

相近种　沙梨 ***Pyrus pyrifolia*** (Burm. f.) Nakai 花 6~9 朵组成伞形总状花序，花径 2.5~3.5 厘米，花瓣白色，卵形，先端啮齿状；雄蕊 20 枚，花柱 4~5 个④。

dàbáidùjuān

大白杜鹃 大白花杜鹃

Rhododendron decorum Franch.

科属：杜鹃花科，杜鹃属。

生境：灌丛中或林下。

花期：4~6 月。

常绿灌木。叶厚革质，长圆形或圆状倒卵形，先端钝或圆，基部楔形。总状伞形花序顶生，有 8~10 朵花，有香味。花梗粗；花萼浅碟状，裂齿 5 枚，不整齐；花冠宽漏斗状钟形，白色或淡红色，裂片 7~8 枚，先端有缺刻；雄蕊 12~16 枚，不等长。①②

相近种 **高尚大白杜鹃** ***Rhododendron decorum*** subsp. ***diaprepes*** (Balf. f. & W. W. Sm.) T. L. Ming 叶片与花较大③。**滇南杜鹃** ***Rhododendron hancockii*** Hemsl. 花冠白色，阔漏斗形，基部具淡黄色斑点④。

dàhuāyěmòlì

大花野茉莉

兰屿安息香

Styrax grandiflorus Griff.

科属：安息香科，安息香属。

生境：疏林、山坡或沟旁湿润处。

花期：4~6月。

灌木或小乔木。高4~7米。叶纸质或近革质，椭圆形、长椭圆形或卵状长圆形，顶端急尖，基部楔形或阔楔形，边近全缘或有时上部具疏离锯齿，侧脉每边5~7条。总状花序顶生，有花3~9朵，有时1~2朵花生于下部叶腋；花序梗和小苞片密被黄褐色星状柔毛；花白色；花萼膜质，杯状；花冠裂片卵状长圆形或椭圆形，两面均密被星状细柔毛，花蕾时作覆瓦状排列。果实卵形，顶端具短尖头。①②③④

duōhuāshānfán

多花山矾

Symplocos ramosissima Wall. ex G. Don

科属：山矾科，山矾属。
生境：溪边、岩壁及阴湿的密林中。
花期：4~5 月。

灌木或小乔木。叶膜质，椭圆状披针形或卵状椭圆形，先端尾尖，基部楔形或圆，有腺齿；具叶柄。总状花序基部分枝。苞片近基部边缘有 2 腺点；花萼裂片宽卵形，稍短于萼筒；花冠白色，5 深裂几达基部；雄蕊 30~40 枚，长短不一，稍伸出花冠，花丝基部稍合生。核果长圆形，嫩时绿色，成熟时黄褐色至蓝黑色，宿萼裂片张开。①②③

相近种 **山矾** ***Symplocos sumuntia*** Buch.-Ham. ex D. Don 叶先端具尾状渐尖，基部楔形或圆；总状花序，基部分枝④。

huīlì

灰莉

灰刺木，鲤鱼胆

Fagraea ceilanica Thunb.

科属：马钱科，灰莉属。
生境：山地密林中或石灰岩地区阔叶林中。
花期：4~8 月。

乔木或攀缘灌木状，高达 15 米。叶稍肉质，椭圆形、倒卵形或卵形，先端渐尖或骤尖，基部楔形，下延；基部具鳞片状托叶。花单生或为顶生二歧聚伞花序，花序梗基部具披针形苞片。花梗中上部具 2 枚小苞片；花萼肉质，裂片卵形或圆形，边缘膜质；花冠漏斗状，稍肉质，白色，芳香，裂片倒卵形；雄蕊内藏；子房 2 室，每室多数胚珠，花柱细长。浆果卵圆形或近圆形，具尖喙，基部具宿萼。种子椭圆状肾形。①②③④

liùyuèxuě

六月雪

Serissa japonica (Thunb.) Thunb.

科属：茜草科，白马骨属。

生境：河溪边或丘陵的杂木林内。

花期：5~7 月。

小灌木。叶革质，卵形或倒披针形，先端短尖或长尖，全缘，无毛；叶柄短。花单生或数朵簇生小枝顶部或腋生；苞片被毛，边缘浅波状。花萼裂片锥形，被毛；花冠淡红色或白色，花冠筒比萼裂片长，花冠裂片扩展，先端 3 裂；雄蕊伸出冠筒喉部；花柱长，伸出，柱头 2 个，直，略分开。①②③

相近种　**白马骨** ***Serissa serissoides*** (DC.) Druce 叶通常丛生，薄纸质。花无梗，生于小枝顶部；苞片膜质，具疏散小缘毛④。

lùzhūdùjuān

露珠杜鹃

Rhododendron irroratum Franch.

科属：杜鹃花科，杜鹃属。
生境：山坡常绿阔叶林中。
花期：3~5月。

常绿灌木或小乔木。叶革质，披针形或长椭圆形，先端渐尖，基部圆；具叶柄。总状伞形花序有7~15朵花。花萼小，盘状；花冠筒状钟形，白色、淡黄色或粉红色，有深色斑点，5裂；雄蕊10枚；子房圆锥形。蒴果圆柱状，成熟后开裂。①②

相近种　**桃叶杜鹃** ***Rhododendron annae*** Franch. 叶片狭窄，花冠开展呈杯状③。**迷人杜鹃** ***Rhododendron agastum*** Balf. f. & W. W. Sm. 花序花数较少，花冠钟状漏斗形，粉红色，具紫色斑点，5裂；雄蕊10~14枚④。

máogāocài

茅膏菜 球子参，山胡椒草

Drosera peltata Sm. ex Willd.

科属：茅膏菜科，茅膏菜属。

生境：林地，草丛、灌丛或水旁。

花期：6~9月。

草本。茎直立，淡绿色；退化基生叶线状钻形；不退化基生叶圆形或扁圆形；茎生叶稀疏，盾状，互生；叶片半月形或半圆形，叶缘密具单一或成对而一长一短的头状黏腺毛，背面无毛。螺状聚伞花序生于枝顶和茎顶，分叉或二歧状分枝，或不分枝；花瓣5枚，楔形，白色、淡红色或红色；雄蕊5枚。蒴果3~5裂。①②③④

qiúhuāhánxiào

球花含笑

Michelia sphaerantha
C. Y. Wu ex Z. S. Yue

科属：木兰科，含笑属。
生境：林中。
花期：3月。

易危种。乔木。叶革质，倒卵状长圆形或长圆形，先端具骤尖头，基部圆形或钝；叶柄无托叶痕，托叶与叶柄离生。花梗有短硬毛；花被白色，花被片 12 枚，近相似，狭倒卵形；雄蕊多数。成熟蓇葖卵圆形，两瓣全裂。①②

相近种　**多花含笑** ***Michelia floribunda*** Finet & Gagnep. 花被片白色，11~13 枚，匙形或倒披针形，先端骤尖③。**峨眉含笑** ***Michelia wilsonii*** Finet & Gagnep. 花黄色，芳香；花被片稍肉质，9~12 枚，倒卵形或倒披针形，内轮较窄小④。

rǎnmáowúxīncài

髯毛无心菜 髯毛蚤缀

Arenaria barbata Franch.

科属：石竹科，无心菜属。

生境：高山草甸、流石滩、草地或灌丛。

花期：7~9月。

多年生草本。叶片长圆形或长圆状倒卵形。二歧状聚伞花序具少数或多数花；苞片与叶同形而小；萼片5枚，披针形；花瓣5枚，白色或粉红色，顶端流苏状；雄蕊10枚，其中5枚的花丝基部扩大，花药紫黑色或黄褐色；花柱2个，线形。蒴果4裂。①②

相近种 **西南无心菜** ***Arenaria forrestii*** Diels 花柱3个，线形；花瓣顶端钝圆，有时稍平截或微凹③。**雪灵芝** ***Arenaria brevipetala*** Y. W. Tsui & L. H. Zhou 垫状草本；叶片钻形至卵形，边缘及顶端加厚④。

shuǐjīnglán

水晶兰

Monotropa uniflora L.

科属：杜鹃花科，水晶兰属。
生境：山地林下。
花期：8~9月。

①

②

③

④

近危种。多年生腐生草本。茎直立，不分枝，全株无叶绿素，白色，肉质。叶鳞片状，直立，互生，长圆形或狭长圆形或宽披针形，先端钝头，边缘近全缘。花单朵顶生；花冠筒状钟形；苞片鳞片状，与叶同形；萼片鳞片状，早落；花瓣5~6枚，离生，楔形或倒卵状长圆形，有不整齐的齿，早落。蒴果椭圆状圆形，直立。①②③

相近种　**松下兰** ***Monotropa hypopitys*** L. 总状花序，花冠筒状钟形，苞片卵状长圆形或卵状披针形，花瓣4~5枚，长圆形或倒卵状长圆形④。

wǔyāguǒ

五桠果

Dillenia indica L.

科属：五桠果科，五桠果属。

生境：低海拔山谷、沟边及林中。

花期：7 月。

濒危种。常绿乔木。叶薄革质，矩圆形或倒卵状矩圆形，先端近于圆形，边缘有明显锯齿，齿尖锐利；叶柄有狭窄的翅，基部稍扩大。花单生于枝顶叶腋内；花瓣白色，倒卵形；雄蕊发育完全，外轮数目很多，内轮较少且比外轮长，无退化雄蕊，花药长于花丝，顶孔裂开；心皮 16~20 枚。果实圆球形。①②③

相近种　**大花五桠果** ***Dillenia turbinata*** Finet & Gagnep. 花瓣膜质，倒卵形，黄色，稀白色或粉红色；雄蕊 2 轮，花药较花丝长 2~4 倍，顶孔开裂；心皮 8~9 枚④。

yánxū

岩须

雪灵芝，长梗岩须

Cassiope selaginoides

Hook. f. & Thomson

科属：杜鹃花科，锦绦花属。

生境：高山草地、灌丛中多石处或陡壁。

花期：5~8 月。

近危种。小灌木。枝直立，极少分枝，纤细。叶交互对生，贴生于茎成 4 行，鳞片状，革质，卵状三角形，基部 2 裂。花腋生，下垂；花萼红色或紫红色，无毛，裂片长圆形或卵形，具膜质边，先端钝或锐尖；花冠白色，宽钟状，裂片长圆形，直立；雄蕊 10 枚，花丝线形，扁平。蒴果近圆形，包以宿萼。①②③

相近种　**扫帚岩须** ***Cassiope fastigiata*** (Wall.) D. Don 腋生，下垂；花梗基部有 2~3 片边缘遂状的苞片；花萼紫色，裂片长圆状卵形④。

yěxiāngyuánhuā

野香橼花 猫胡子花

Capparis bodinieri H. Lév.

科属：山柑科，山柑属。

生境：灌丛或次生林，山坡道旁或平地。

花期：3~4 月。

灌木或小乔木。叶革质，卵形或披针形，先端短渐尖或渐尖，基部圆或楔形；托叶 2 枚，刺状，外弯。花 2~7 朵排成一列，腋上生。萼片 4 枚，背面有龙骨状突起，向内凹入成浅囊状；花瓣白色；花盘小，顶端微凹或 2 浅裂；雄蕊 18~37 枚。果黑色，圆形。①②③

相近种　**小绿刺** ***Capparis urophylla*** F. Chun 小枝无刺或有小刺。叶卵形或椭圆形，幼时膜质，老时草质，基部圆形或急尖，顶端渐狭延成长尾④。

yóutóng

油桐

茬桐，罂子桐

Vernicia fordii (Hemsl.) Airy Shaw

科属：大戟科，油桐属。

生境：疏林。

花期：4~5月。

落叶乔木。高达10米。叶卵圆形，顶端短尖，基部截平至浅心形，全缘，稀1~3浅裂。花雌雄同株，先叶或与叶同时开放；花瓣白色，有淡红色脉纹，倒卵形，顶端圆形，基部爪状。核果近球状，果皮光滑。①②③

相近种　**木油桐** ***Vernicia montana*** Lour. 花雌雄异株或同株异序。花瓣白色或基部紫红色，倒卵形或倒卵状披针形④。

yúnnányíyī

云南移𣐿 桃䧳，西南移𣐿

Docynia delavayi (Franch.) C. K. Schneid.

科属：蔷薇科，移𣐿属。

生境：山谷、溪旁、灌丛或路旁杂木林中。

花期：3~4 月。

常绿乔木。高达 3~10 米。叶片披针形或卵状披针形，先端急尖或渐尖，基部宽楔形或近圆形，全缘或稍有浅钝齿。花 3~5 朵，丛生于小枝顶端；花梗短粗，近于无毛，果期伸长，密被绒毛；苞片早落；花直径 2.5~3 厘米；萼筒钟状，外面密被黄白色绒毛；花瓣宽卵形或长圆倒卵形，基部有短爪，白色；雄蕊 40~45 枚，花丝长短不等，比花瓣短约 1/3。果实卵形或长圆形，黄色，幼果密被绒毛，成熟后微被绒毛或近于无毛。①②③④

皮袋香 **云南含笑**

Michelia yunnanensis

Franch. ex Finet & Gagnep.

科属：木兰科，含笑属。

生境：山地灌丛中。

花期：3~4 月。

灌木。叶革质，倒卵形至狭倒卵状椭圆形，先端圆钝或短急尖，基部楔形；托叶痕为叶柄长的 2/3 或达顶端。花梗粗短，有 1 苞片脱落痕；花白色，极芳香，花被片 6~12 枚，倒卵形，倒卵状椭圆形，内轮花被片狭小，侧向开裂，花丝白色。聚合果通常仅 5~9 个蓇葖发育。①②

相近种　**长蕊木兰** ***Alcimandra cathcartii*** (Hook. f. & Thomson) Dandy 花顶生，雌蕊群具柄③。**含笑花** ***Michelia figo*** (Lour.) Spreng. 花被片质厚，带肉质，淡黄色，边缘常染有紫色④。

mùxiānghuā

木香花 木香，七里香

Rosa banksiae W. T. Aiton

科属：蔷薇科，蔷薇属。

生境：溪边、路旁或山坡灌丛中。

花期：4~5月。

攀缘小灌木。小叶3~5枚，稀7枚；小叶椭圆状卵形或长圆状披针形，有紧贴细锯齿；托叶线状披针形，膜质，离生，早落。花小型，多朵形成伞形花序。花径1.5~2.5厘米；萼片卵形，先端长渐尖，全缘；花瓣重瓣至半重瓣，白色，倒卵形，先端圆；心皮多数。①②③

相近种 **黄木香花** ***Rosa banksiae*** f. ***lutea*** (Lindl.) Rehder 花黄色重瓣，无香味④。

xiāngmùlián

香木莲

Manglietia aromatica Dandy

科属：木兰科，木莲属。
生境：山地、丘陵常绿阔叶林中。
花期：5~6月。

易危种。乔木。叶薄革质，倒披针状长圆形或倒披针形，先端短渐尖或渐尖，1/3 以下渐窄至基部稍下延。花梗粗短，花被片 11~12 枚，白色，4 轮，外轮 3 枚近革质，倒卵状长圆形，内轮厚肉质，倒卵状匙形，基部具爪，较大；雄蕊约 100 枚；雌蕊群卵圆形。聚合果鲜红色，近圆形或卵状圆形；蓇葖基部着生于果托。①②③

相近种　**大果木莲** ***Manglietia grandis*** Hu & W. C. Cheng 花红色，花被片 12 枚，外轮 3 枚较薄，倒卵状长圆形，内 3 轮肉质，倒卵状匙形④。

xīkāngtiānnǚhuā

西康天女花

Oyama wilsonii

(Finet & Gagnep.) N. H. Xia & C. Y. Wu

科属：木兰科，天女花属。

生境：山林间。

花期：5~6 月。

易危种。落叶灌木或小乔木。叶纸质，椭圆状卵形或长圆状卵形，先端急尖或渐尖。花叶同放，白色，芳香，盛开呈碟状，花梗下垂；花被片 9~12 枚，外轮 3 枚与内两轮近等大，宽匙形，顶端圆，基部具短爪；雄蕊紫红色，雌蕊群绿色。①②

相近种　**馨香木兰** ***Lirianthe odoratissima*** (Y. W. Law & R. Z. Zhou) N. H. Xia & C. Y. Wu 叶为常绿，花梗及心皮被毛③。**夜香木兰** ***Lirianthe coco*** (Lour.) N. H. Xia & C. Y. Wu 叶为常绿，全株各部无毛④。

nímbóěrxiāngqīng

打火草 **尼泊尔香青**

Anaphalis nepalensis

(Spreng.) Hand.-Mazz.

科属：菊科，香青属。

生境：高山草地林缘、沟边及岩石上。

花期：6~9 月。

多年生草本。根状茎具细匍匐枝，有倒卵形或匙形叶和顶生莲座状叶丛；下部叶花期生存，与莲座状叶同形，匙形至长圆状披针形，基部渐窄；中部叶长圆形或倒披针形，基部稍抱茎，或茎短而无中上部叶。头状花序1~6 个，稀较多疏散伞房状排列；总苞近球状，8~9 层，深褐色；内层披针形，白色，基部深褐色；最内层线状披针形，有长爪。①②③

相近种 **铃铃香青** ***Anaphalis hancockii*** Maxim. 叶沿茎下延成翅状，总苞半球状或有时倒锥状④。

chuānxùduàn

川续断

Dipsacus asper Wall. ex DC.

科属：川续断科，川续断属。
生境：沟边、草丛、林缘和田野路旁。
花期：7~9 月。

多年生草本。茎中空，具棱，棱上疏生下弯粗短的硬刺。基生叶稀疏丛生，叶片琴状羽裂，中下部叶羽状深裂，上部叶披针形，不裂或基部 3 裂；基生叶具长柄，向上柄渐短。头状花序圆形，总苞片披针形或线形叶状，花冠淡黄色或白色，花冠管基部狭缩成细管，顶端 4 裂；雄蕊 4 枚，花药紫色，子房下位，柱头短棒状。①②③

相近种　**匙叶翼首花** ***Pterocephalus hookeri*** (C. B. Clarke) E. Pritz. 花冠筒状漏斗形，黄白色或淡紫色④。

sōngmáohuǒróngcǎo

火草，小地松 **松毛火绒草**

Leontopodium andersonii C. B. Clarke

科属：菊科，火绒草属。

生境：草坡、草地、针叶林下和丘陵顶部。

花期：8~11 月。

多年生草本。叶稍直立或开展，狭线形，尖或稍钝，顶端有细长尖头，基部稍狭，边缘反卷。苞叶多数，与上部叶等长或较长，较花序长 2~3 倍，开展成直径 2.5~7 厘米的苞叶群，有时成分散的复苞叶群。头状花序常 10~40 个，密集。总苞被白色厚茸毛；总苞片约 3 层，顶端无毛，尖或稍钝。小花异形或雌雄异株。雄花花冠狭漏斗状，有披针形裂片；雌花花冠丝状。冠毛白色。①②③④

báichēzhóucǎo

白车轴草 白三叶，荷兰翘摇

Trifolium repens L.

科属：豆科，车轴草属。

生境：栽培或逸生于湿润草地、河岸。

花期：5~10 月。

多年生匍匐状草本。茎蔓生。掌状三出复叶，具长叶柄；小叶片倒卵形至近圆形，先端圆，微凹，基部楔形，边缘有细锯齿。圆形花序，顶生，有花 20~50 朵，密集；花萼钟状，萼齿披针形，稍不等长，短于萼筒，萼喉开张；花冠白色、乳黄色或淡红色，具香气，旗瓣椭圆形，比翼瓣和龙骨瓣长 1 倍，龙骨瓣稍短于翼瓣。①②③

相近种　**红车轴草** ***Trifolium pratense*** L. 花冠紫红色至淡紫红色，旗瓣匙形④。

báicìhuā

白刻针，马蹄针 **白刺花**

Sophora davidii (Franch.) Skeels

科属：豆科，槐属。
生境：河谷沙丘和山坡路边的灌木丛中。
花期：3~8 月。

灌木或小乔木。不育枝末端变成刺状。叶具 11~21 枚小叶，叶柄基部不膨大；托叶部分变成刺状部分脱落；小叶椭圆状卵形或倒卵状长圆形，先端圆或微凹，具芒尖。总状花序顶生，有花 6~12 朵。花萼钟状，蓝紫色，萼齿 5 枚，不等大；花冠白色或淡黄色，有时旗瓣稍带红紫色；雄蕊 10 枚，等长，花丝基部连合不及 1/3。荚果串珠状。①②③

相近种 苦参 ***Sophora flavescens*** Aiton 草本或近基部木质化呈亚灌木状；总状花序顶生④。

gǒngtóng

珙桐 空桐

Davidia involucrata Baill.

科属：蓝果树科，珙桐属。

生境：湿润的常绿阔叶落叶阔叶混交林中。

花期：4 月。

落叶乔木。高达 25 米。叶互生，集生幼枝顶部，宽卵形或圆形，先端骤尖，基部深心形至浅心形，具三角状粗齿，齿端锐尖，幼叶上面疏被长柔毛，下面密被淡黄色或白色丝状粗毛。杂性同株；常由多数雄花与 1 枚雌花或两性花组成圆形头状花序，生于小枝近顶端叶腋，基部具 2~3 枚大型白色花瓣状苞片，苞片长圆形或倒卵状长圆形。雄花无花萼，无花瓣；雌花及两性花子房下位。核果单生，长圆形，紫绿色，具黄色斑点及纵沟纹。①②③④

bànghuāyángtíjiǎ

棒花羊蹄甲

Bauhinia nervosa (Benth.) Baker

科属：豆科，羊蹄甲属。
生境：疏林中。
花期：9月。

直立灌木。叶近革质，广卵形，基部心形，先端分裂达叶长的1/5~1/4。总状花序顶生；花大，花蕾棒状；花瓣近革质，白色，基部红色，瓣片阔倒卵形，上部有隆起的脉，顶凹缺；能育雄蕊3枚，花丝粗；不育雄蕊2枚，花丝纤细。①②

相近种　云南羊蹄甲 ***Bauhinia yunnanensis*** Franch. 总状花序有10~20朵花，花瓣淡红色，匙形③。白花羊蹄甲 ***Bauhinia acuminata*** L. 总状花序腋生，呈伞房花序式，密集，花3~15朵，花瓣白色④。

gāoshānbǔchóngjǐn

高山捕虫堇 捕虫堇

Pinguicula alpina L.

科属：狸藻科，捕虫堇属。

生境：阴湿岩壁间或高山杜鹃灌丛下。

花期：5~7 月。

多年生草本。叶 3~13 枚，基生呈莲座状，脆嫩多汁，干时膜质；叶片长椭圆形，边缘全缘并内卷，顶端钝形或圆形，基部宽楔形，下延成短柄，上面密生多数分泌黏液的腺毛。花单生。花梗 1~5 条，上部于结果时增粗，无毛。花萼 2 深裂；上唇 3 浅裂，裂片卵圆形，下唇 2 浅裂，裂片卵形。花冠白色，距淡黄色；上唇 2 裂达中部，裂片宽卵形至近圆形，下唇 3 深裂。蒴果卵圆形至椭圆球形，室背开裂。①②③④

dàbǎihé

大百合

Cardiocrinum giganteum

(Wall.) Makino

科属：百合科，大百合属。

生境：林下草丛中。

花期：6~7 月。

茎直立，中空。小鳞茎卵形。叶纸质，网状脉，基生叶卵状心形或宽，茎生叶卵状心形，向上渐小。总状花序，花狭喇叭形，白色，内具淡紫红色条纹；花丝向下渐扩大，扁平，子房圆柱形，柱头膨大微 3 裂。蒴果近圆形，具小尖突及粗短果柄，红褐色。种子呈扁钝三角形，红棕色，具淡红棕色半透明的膜质翅。①②③④

gāocóngzhēnzhūméi

高丛珍珠梅 野生珍珠梅

Sorbaria arborea C. K. Schneid.

科属：蔷薇科，珍珠梅属。
生境：山坡林边、山溪沟边。
花期：6~7 月。

落叶灌木。幼枝微被星状毛或柔毛，渐脱落。羽状复叶具小叶 13~19 枚，小叶披针形至长圆状披针形，先端渐尖，基部宽楔形或圆，有重锯齿，两面无毛或下面微具星状绒毛，小叶柄短或几无柄，托叶三角形，无毛。圆锥花序开展。花梗和花序梗微被星状柔毛；苞片线状披针形至披针形，微被短柔毛；萼片无毛；花瓣白色；雄蕊长于花瓣；花盘环状；心皮 5 枚，无毛，花柱长不及雄蕊 1/2。蓇葖果圆柱形，无毛，萼片宿存，反折，果柄弯曲。①②③④

jīshǐténg

鸡矢藤

Paederia foetida L.

科属：茜草科，鸡矢藤属。
生境：山地灌丛中或缠绕在灌木上。
花期：5~7 月。

藤本。叶对生，纸质或近革质，形状变化很大，卵形、卵状长圆形至披针形，顶端急尖或渐尖，基部楔形或近圆或截平，有时浅心形。圆锥花序式的聚伞花序腋生和顶生，扩展，分枝对生，末次分枝上着生的花常呈蝎尾状排列；萼管陀螺形，萼檐裂片 5 枚，裂片三角形；花冠浅紫色；小坚果无翅，浅黑色。①②③④

měilìmǎzuìmù

美丽马醉木 兴山马醉木

Pieris formosa (Wall.) D. Don

科属：杜鹃花科，马醉木属。

生境：灌丛中或阳坡。

花期：5~6 月。

灌木或小乔木。幼叶常带红色；叶革质，披针形至长圆形，先端渐尖，基部楔形，叶缘全有锯齿。萼片披针形，花冠筒形坛状或坛状，裂片近圆形；花丝直伸，被毛。蒴果卵圆形。种子被黄褐色柔毛，纺锤形。①②

相近种 **南烛** ***Vaccinium bracteatum*** Thunb. 总状花序多花，花冠白色，筒状，有时略呈坛状③。**云南越橘** ***Vaccinium duclouxii*** (H. Lév.) Hand.-Mazz. 花序生于枝顶叶腋和下部叶腋，花冠白色或淡红色，筒状坛形，口部稍缢缩，花柱略微伸出花冠④。

sōngpānléngzǐqín

黄羌，异伞棱子芹 # 松潘棱子芹

Pleurospermum franchetianum Hemsl.

科属：伞形科，棱子芹属。
生境：高山坡或山梁草地上。
花期：7~8月。

1

2

3

4

二年生或多年生草本。茎直立，中空。具长叶柄，叶鞘膜质；叶卵形，近三出三回羽状分裂；小裂片披针状长圆形，有不整齐缺刻。顶生复伞形花序有短梗，侧生花序梗较长，常为不孕花，总苞片8~12枚，窄长圆形；伞辐多数，小总苞片8~10枚，匙形；伞形花序有多花。花瓣白色，倒卵形。①②③

相近种 **垫状棱子芹** ***Pleurospermum hedinii*** Diels 垫状草本；萼齿近三角形，花瓣淡红色或白色，近圆形④。

huáxīxiǎoshíjī

华西小石积 沙糖果

Osteomeles schwerinae C. K. Schneid.

科属：蔷薇科，小石积属。
生境：山坡灌丛或田边路旁向阳干燥地。
花期：4~5 月。

落叶或半常绿灌木。奇数羽状复叶，具小叶 7~15 对，椭圆形至倒卵状长圆形，先端尖，基部宽楔形，全缘。伞房花序有 3~5 朵花，萼片卵状披针形，全缘，花瓣白色，长圆形；雄蕊 20 枚，花柱 5 个。果卵圆形或近圆形，成熟时蓝黑色，宿存萼片反折。①②③④

qiúlán

肺炎草，玉叠梅 球兰

Hoya carnosa (L. f.) R. Br.

科属：萝藦科，球兰属。

生境：平原或山地附生于树上或石上。

花期：4~11 月。

攀缘灌木。叶肉质，卵状长圆形或椭圆形，基部圆或楔形，侧脉约 4 对，不明显。聚伞花序伞状，腋外生，花多达 30 朵。具花梗；花冠白色，有时中心粉红色，辐状，裂片三角形，先端反折；副花冠裂片星状开展，外角尖，中脊隆起，边缘反折，内角尖，内弯至花药。蓇葖果窄披针状圆柱形。①②③

相近种 **铁草鞋** ***Hoya pottsii*** Traill 聚伞花序伞状球形，花序梗较长，花冠白色，中心淡红色④。

lí guǒ xiān rén zhǎng

梨果仙人掌

Opuntia ficus-indica (L.) Mill.

科属：仙人掌科，仙人掌属。

生境：干热河谷逸为野生。

花期：5~6 月。

肉质灌木或小乔木。分枝有时具 1~6 根开展的白色刺。叶锥形，绿色，早落。花辐状；花托长圆形至长圆状倒卵形，先端截形并凹陷，绿色，具多数垫状小窠；萼状花被片深黄色或橙黄色，具橙黄色或橙红色中肋，宽卵圆形或倒卵形，先端圆形或截形，有时具骤尖头；瓣状花被片深黄色、橙黄色或橙红色。浆果椭圆球形至梨形。①②③

相近种　**单刺仙人掌** ***Opuntia monacantha*** Haw. 小窠结节状，具 1~2 根直立的先端黑褐色针状灰色刺，瓣状花被片深黄色，花丝淡绿色④。

shíhǎijiāo

石海椒

黄花香草，迎春柳

Reinwardtia indica Dumort.

科属：亚麻科，石海椒属。

生境：林下、山坡灌丛或沟坡潮湿处。

花期：4月至翌年1月。

小灌木。叶纸质，椭圆形或倒卵状椭圆形，先端急尖或近圆形，有短尖，基部楔形，全缘或有圆齿状锯齿。花序顶生或腋生，或单花腋生；花大小不等；萼片5枚，分离，披针形，宿存；同一植株上的花具花瓣4~5枚，黄色，分离，旋转排列，早萎；雄蕊5枚，花丝下部两侧扩大成翅状或瓣状，基部合生成环。蒴果圆形，3裂。①②③

相近种　**宿根亚麻** ***Linum perenne*** L. 花多数，组成聚伞花序；花蓝色、蓝紫色、淡蓝色，萼片卵形，花瓣5枚，倒卵形④。

cùjiāngcǎo

酢浆草 鸠酸，酸味草

Oxalis corniculata L.

科属：酢浆草科，酢浆草属。
生境：山坡、河谷、路边、荒地等处。
花期：2~9月。

草本。根茎稍肥厚。茎细弱，直立或匍匐。叶基生，茎生叶互生，小叶3枚，倒心形，先端凹下。花单生或数朵组成伞形花序状。萼片5枚，披针形或长圆状披针形，花瓣5枚，黄色，长圆状倒卵形；雄蕊10枚，基部合生，长短相间，花柱5个。蒴果长圆柱形，5棱。①②③

相近种 山酢浆草 ***Oxalis griffithii*** Edgew. & Hook. f. 叶基生；总花梗基生，单花，花瓣5枚，白色或稀粉红色，倒心形，先端凹陷，基部狭楔形，具白色或带紫红色脉纹④。

dìtánghuā

棣棠花

鸡蛋黄花，土黄条

Kerria japonica (L.) DC.

科属：蔷薇科，棣棠花属。

生境：山坡灌丛中。

花期：4~6 月。

落叶灌木。小枝绿色，常拱垂。叶互生，三角状卵形或卵圆形，顶端长渐尖，基部圆形至微心形，边缘有尖锐重锯齿。单花，着生在当年生侧枝顶端；萼片卵状椭圆形，果时宿存，花瓣黄色，宽椭圆形，顶端下凹。瘦果倒卵形至半圆形，褐色或黑褐色。①②③

相近种　**重瓣棣棠花** ***Kerria japonica*** f. ***pleniflora*** (Witte) Rehder 花重瓣④。

duǎnèhǎitóng

短萼海桐 山桂花，万里香

Pittosporum brevicalyx (Oliv.) Gagnep.

科属：海桐花科，海桐花属。
生境：森林、灌丛、山坡或石灰岩地区。
花期：3~5月。

常绿灌木或小乔木。叶簇生枝顶，薄革质，倒卵状披针形，有时长圆形，先端渐尖或尾尖，基部楔形。伞房花序3~5枝簇生枝顶叶腋；苞片窄披针形。萼片卵状披针形；花瓣离生；雄蕊比花瓣略短，有时及花瓣1/2。蒴果近扁圆形，2瓣裂，果瓣薄，胎座位于果片下半部。①②③

相近种 **昆明海桐** ***Pittosporum kunmingense*** Hung T. Chang & S. Z. Yan 伞形花序或伞房花序顶生或近于顶生，基部有鳞状苞片，有花2~12朵④。

duōmáoyùyèjīnhuā

多毛玉叶金花

Mussaenda mollissima

C. Y. Wu ex H. H. Hsue & H. Wu

科属：茜草科，玉叶金花属。
生境：林缘、路边。
花期：5月。

灌木。叶对生，近革质，椭圆形至广卵形，顶端短尖，基部楔形或近圆形。聚伞花序的总梗较长；花萼管圆筒状，萼裂片披针形；花叶广倒卵形，纸质，顶端短尖，基部渐尖；花冠橙黄色，花冠管向上渐膨大。浆果椭圆形。①②③

相近种　**裂果金花** ***Schizomussaenda dehiscens*** (Craib) H.L. Li 穗形蝎尾状聚伞花序顶生，多花；苞片和小苞片线状披针形。萼筒长陀螺形；花冠高脚碟状④。

gāoyuánmáogèn

高原毛茛 结察

Ranunculus tanguticus (Maxim.) Ovcz.

科属：毛茛科，毛茛属。

生境：山坡或沟边沼泽湿地。

花期：6~10 月。

多年生草本。基生叶多数；叶为三出复叶，小叶片二至三回 3 全裂或深中裂，末回裂片披针形至线形，顶端稍尖；上部叶渐小，3~5 全裂，裂片线形，有短柄至无柄。花较多，单生于茎顶和分枝顶端；花梗被白柔毛，在果期伸长；萼片椭圆形；花瓣 5 枚，倒卵圆形，基部有窄长爪。聚合果长圆形，约为宽的 2 倍。①②③

相近种　云南毛茛 ***Ranunculus yunnanensis*** Franch. 基生叶叶片倒卵状楔形至匙形，顶端有 3~7 个钝齿；顶生花序具 2~3 朵花④。

guānjiéwěilíngcài

关节委陵菜

Potentilla articulata Franch.

科属：蔷薇科，委陵菜属。
生境：高山流石滩雪线附近。
花期：6~9 月。

多年生垫状草本。花茎丛生；基生叶为 3 枚小叶，与叶柄相接处具明显关节，带状披针形，顶端急尖，边缘全缘，微向下反卷。单花，有带形苞叶及托叶；萼片三角卵形，顶端渐尖，副萼片椭圆披针形，顶端急尖，比萼片稍长或近等长；花瓣黄色，倒卵形，顶端微凹，为萼片长的 1.5 倍。瘦果表面光滑。①②③

相近种 **长柔毛委陵菜** ***Potentilla griffithii*** var. ***velutina*** Cardot 花瓣黄色，稀白色，倒卵形，顶端下凹，为萼片长的 1~2 倍④。

guòlùhuáng

过路黄 金钱草，铺地莲

Lysimachia christiniae Hance

科属：报春花科，珍珠菜属。

生境：沟边、路旁阴湿处和山坡林下。

花期：5~7月。

多年生草本。茎柔弱，平卧延伸。叶对生，卵圆形至肾圆形，先端锐尖或圆钝至圆形，基部截形至浅心形。花单生叶腋，花萼分裂至近基部，花冠黄色，基部合生，质地稍厚，具黑色长腺条；花丝下半部合生成筒，子房卵珠形。蒴果圆形，有稀疏黑色腺条。①②

相近种　**落地梅** ***Lysimachia paridiformis*** Franch. 叶4~6枚在茎端轮生，具稀疏的棕色或黑色腺条③。**泽珍珠菜** ***Lysimachia candida*** Lindl. 花冠白色，裂片长圆形；雄蕊稍短于花冠，花丝贴生花冠中下部④。

huángshǔkuí

黄蜀葵

Abelmoschus manihot (L.) Medik.

科属：锦葵科，秋葵属。

生境：山谷草丛、田边或沟旁灌丛间。

花期：7~10 月。

一年生或多年生草本。叶近圆形，掌状 5~9 深裂，裂片长圆状披针形，先端渐尖，具粗钝锯齿；托叶披针形。花单朵腋生。花萼佛焰苞状，近全缘，顶端具 5 枚齿；花冠漏斗状，淡黄色，内面基部紫色，花瓣 5 枚，宽倒卵形；雄蕊基部着生花药；花柱分枝 5 根，柱头紫黑色，匙状盘形。蒴果卵状椭圆形。①②③

相近种　**箭叶秋葵** ***Abelmoschus sagittifolius*** (Kurz) Merr. 叶形多样，下部的叶卵形，中部以上的叶卵状戟形、箭形至掌状 3~5 浅裂或深裂。花冠红色或黄色④。

huīyánzhòuyèbàochūn

灰岩皱叶报春 鹿角七，石痨参

Primula forrestii Balf. f.

科属：报春花科，报春花属。

生境：山坡林下和石灰岩缝中。

花期：4~5 月。

多年生草本。叶簇生于根茎端，叶片卵状椭圆形至椭圆状矩圆形，先端圆形或钝，基部阔楔形至微呈心形，边缘具齿，老叶质地较厚。花葶直立；伞形花序 7~18 朵花；花萼近筒状，分裂约达全长的 1/3；花冠深金黄色。①②

相近种 小报春 ***Primula forbesii*** Franch. 伞形花序 1~2 轮，很少 3~4 轮，每轮 4~8 朵花；花冠粉红色③。**葵叶报春** ***Primula malvacea*** Franch. 叶近圆形至阔卵圆形；花在花葶上排成 1 至数轮，有时近轮生或排成总状花序④。

jīnlùméi

金老梅，药王茶 **金露梅**

***Potentilla fruticosa* L.**

科属：蔷薇科，委陵菜属。

生境：山坡草地、砾石坡、灌丛及林缘。

花期：6~9 月。

小灌木。多分枝。奇数羽状复叶，小叶通常 5 枚，长圆形，先端锐尖，基部楔形，边全缘；叶柄短；托叶膜质，卵形或卵状披针形，下部与叶柄愈合。花单生于叶腋或顶生数朵成伞房花序；花黄色；副萼披针形至条形，先端尖或偶尔 2 裂，比萼片短或近等长，萼片三角状卵圆形或卵形，淡褐黄色；花瓣圆形，比萼片约长 3 倍。①②③

相近种 **银露梅** ***Potentilla glabra*** Lodd. 萼片卵形，先端急尖或短渐尖，副萼片披针形至卵形，比萼片短或近等长；花瓣白色，倒卵形④。

lǘtícǎo

驴蹄草 马蹄草，马蹄叶

Caltha palustris L.

科属：毛茛科，驴蹄草属。

生境：山地较阴湿处。

花期：5~9 月。

多年生草本。叶片近圆形、圆肾形或心形，基部深心形，密生三角形小牙齿；单歧聚伞花序生于茎或分枝顶部，常 2 朵花，萼片 5 枚，黄色，倒卵形或窄倒卵形。蓇葖果狭倒卵形，有喙。①②③

相近种　花葶驴蹄草 ***Caltha scaposa*** Hook. f. & Thomson 茎单一或数条。叶片心状卵形或三角状卵形，有时肾形。花单独生于茎顶部，或 2 朵成单歧聚伞花序④。

mǎtíhuáng

白地榆，黄地榆 马蹄黄

Spenceria ramalana Trimen

科属：蔷薇科，马蹄黄属。

生境：高山草原石灰岩山坡。

花期：7~8 月。

多年生草本。基生叶为奇数羽状复叶，小叶 13~21 枚，对生，稀互生，宽椭圆形或倒卵状长圆形，先端 2~3 浅裂，基部圆，全缘；茎生叶的小叶少或为单叶。总状花序顶生，具 12~15 朵花，排列稀疏；苞片 3 枚，浅裂或深裂，小苞片 2 枚。副萼片 5 枚，合生成漏斗状，顶端有 4~5 枚齿；萼筒倒圆锥形，萼片 4~5 枚，披针形，镊合状；花瓣 5 枚，黄色，倒卵形，基部有短爪；雄蕊 35~40 枚，花丝黄色，宿存。瘦果近圆形。①②③④

rǔhuángdùjuān

乳黄杜鹃

Rhododendron lacteum Franch.

科属：杜鹃花科，杜鹃属。
生境：冷杉林下或杜鹃灌丛中。
花期：4~5 月。

常绿灌木或小乔木。叶厚革质，常集生于小枝顶端，叶片宽椭圆形至倒卵状椭圆形，边缘稍外卷略呈波状。顶生总状伞形花序，有花 15~30 朵密集；苞片宽长圆形；花冠宽钟形，乳黄色，无斑点，有时基部具紫色斑纹裂片 5 枚，近圆形，顶端微缺。①②

相近种　**黄杯杜鹃** ***Rhododendron wardii*** W. W. Sm. 花序具数朵花，花冠杯状，鲜黄色，裂片 5 枚，近圆形③。**羊踯躅** ***Rhododendron molle*** (Blume) G. Don 花冠漏斗状，金黄色，内面有深红色斑点，5 裂④。

shāndìhǔěrcǎo

塞仁交木 山地虎耳草

Saxifraga sinomontana J. T. Pan & Gornall

科属：虎耳草科，虎耳草属。
生境：灌丛、高山草甸或高山碎石隙。
花期：5~10 月。

多年生草本。丛生。基生叶椭圆形、长圆形或线状长圆形，先端钝或急尖；茎生叶披针形或线形。聚伞花序具 2~8 朵花，稀花单生。萼片花期直立，近卵形或近椭圆形，先端钝圆；花瓣黄色，倒卵形至窄倒卵形，先端钝或急尖，基部窄缩成爪，具 2 痂体。①②

相近种　**突隔梅花草** ***Parnassia delavayi*** Franch. 花瓣白色，长圆状倒卵形或匙状倒卵形，常有 5 条紫褐色脉③。**鸡肫梅花草** ***Parnassia wightiana*** Wall. ex Wight & Arn. 花瓣白色，长圆形至琴形④。

suōshābèimǔ

梭砂贝母 德氏贝母

Fritillaria delavayi Franch.

科属：百合科，贝母属。
生境：沙石地或流沙岩石的缝隙中。
花期：6~7月。

易危种。多年生草本。鳞茎由 2~3 枚鳞片组成。茎生叶及叶状苞片 3~5 枚，较紧密地生于植株中部或上部，散生或最上面 2 枚对生，窄卵形或卵状椭圆形，先端不卷曲。花单生，淡黄色，具红褐色斑点或小方格；内花被片比外花被片稍长而宽。①②

相近种　**暗紫贝母** ***Fritillaria unibracteata*** P. K. Hsiao & K. C. Hsia 茎生叶通常在 5 枚以上，较均匀地生于茎的中部至上部③。**川贝母** ***Fritillaria cirrhosa*** D. Don 叶状苞片先端明显卷曲，花通常单朵，极少 2~3 朵，紫色至黄绿色④。

zāiyānghuā

栽秧花

Hypericum beanii N. Robson

科属：藤黄科，金丝桃属。

生境：疏林或灌丛、溪旁以及草坡或石坡。

花期：5~7 月。

灌木。叶窄椭圆形至卵状披针形，基部楔形或圆。花序近伞房状，具1~14 朵花。花星状或杯状，具花梗；苞片叶状或披针形，宿存；萼片卵形或宽卵形；花瓣金黄色，长圆状倒卵形或近圆形，具不规则啮蚀状小齿；雄蕊 5 束，每束具 40~55 枚雄蕊。①②

相近种　**金丝梅** ***Hypericum patulum*** Thunb. 花瓣金黄色，内弯，长圆状倒卵形或宽卵形；雄蕊束具较多雄蕊③。**川滇金丝桃** ***Hypericum forrestii*** (Chitt.) N. Robson 萼片先端稍圆，稀具小突尖；茎常圆柱形④。

zhǎnmáoyínliánhuā

展毛银莲花

Anemone demissa Hook. f. & Thomson

科属：毛茛科，银莲花属。

生境：山地草坡或疏林中。

花期：6~7 月。

基生叶 5~13 枚，具长柄；叶卵形，基部心形，3 全裂，中裂片菱状宽卵形，3 深裂，侧裂片较小，各回裂片稍覆叠。苞片 3 枚，无柄，窄菱形，3 裂；伞辐 1~5 枝。萼片 5~6 枚，蓝色，稀白色，倒卵形；雄蕊多数。瘦果扁平，椭圆形。①②

相近种　**云南金莲花** ***Trollius yunnanensis*** (Franch.) Ulbr. 萼片黄色，宽倒卵形或倒卵形，先端圆或平截；花瓣线形③。**短柱侧金盏花** ***Adonis davidii*** Franch. 花瓣白色，有时带淡紫色，倒卵状长圆形或长圆形④。

diānmǔdān

滇牡丹

Paeonia delavayi Franch.

科属：芍药科，芍药属。
生境：山地林缘。
花期：5~6 月。

亚灌木。当年生小枝草质。叶为二回三出复叶，羽状分裂。花 2~5 朵，顶生或腋生；苞片 3~4 枚，披针形，大小不等；萼片 3~4 枚，宽卵形，大小不等；花瓣 9~12 枚，黄色或红紫色，倒卵形，有时边缘红色或基部有紫色斑块；心皮 2~5 枚。①②③

相近种 川赤芍 ***Paeonia anomala*** subsp. ***veitchii*** (Lynch) D. Y. Hong & K. Y. Pan 小叶成羽状分裂，花紫红色或粉红色④。

ézhǎngqiū

鹅掌楸

Liriodendron chinense (Hemsl.) Sarg.

科属：木兰科，鹅掌楸属。
生境：山地林中。
花期：5月。

乔木。小枝灰或灰褐色。叶马褂形，两侧中下部各具1较大裂片，先端具2浅裂，下面苍白色，被乳头状白粉。花杯状；花被片9枚，外轮绿色，萼片状，向外弯垂，内2轮直立，花瓣状，倒卵形，绿色，具黄色纵条纹；雄蕊多数；心皮多数，黄绿色。聚合果纺锤形，小坚果具翅，顶端钝或纯尖。①②③④

yěbājiǎo

野八角

Illicium simonsii Maxim.

科属：八角科，八角属。
生境：山地沟谷、溪涧旁或湿润林中。
花期：2~4 月及 10~11 月。

灌木状，稀小乔木。叶近对生或互生，革质，披针形至椭圆形，先端尖，基部楔形。花单生叶腋，或簇生枝顶。花蕾卵圆形，花被片淡黄色或近白色，扁平，薄肉质，中轮最大，内轮渐小；雄蕊 16~35 枚，2~3 轮。聚合果，蓇葖 7~9 个，顶端具喙状尖头。①②

相近种　**红毒茴** ***Illicium lanceolatum*** A. C. Sm. 花腋生或近顶生，单生或2~3 朵，红色、深红色③。**红花八角** ***Illicium dunnianum*** Tutcher 花单生叶腋或 2~3 簇生近枝顶，红色④。

huánglán

黄兰

Michelia champaca L.

科属：木兰科，含笑属。

生境：常绿阔叶林中。

花期：6~7 月。

常绿乔木。叶薄革质，披针状卵形或披针状长椭圆形，先端长渐尖或近尾状，基部宽楔形或楔形，全缘；托叶痕达叶柄中上部。花黄色，极香花被片 15~20 枚，倒披针形；雄蕊的药隔伸出成长尖头。聚合果蓇葖卵状长圆形，有疣状凸起。①②

相近种 **棕毛含笑** ***Michelia fulva*** Hung T. Chang & B. L. Chen 花黄色，花被片枚，长圆形或倒卵状长圆形；雄蕊约 60 枚③。**白兰花** ***Michelia × alba*** DC. 花白色极香，花被片 10 枚，披针形④。

quányuányèlùrónghāo

黄芙蓉，鹿耳菜 **全缘叶绿绒蒿**

Meconopsis integrifolia

(Maxim.) Franch.

科属：罂粟科，绿绒蒿属。

生境：草坡或林下。

花期：5~8 月。

一年生至多年生草本。基生叶倒披针形至近匙形；茎生叶下部者同基生叶，较小，最上部茎生叶常呈假轮生状。花通常 4~5 朵，稀达 18 朵，生最上部茎生叶腋内，有时也生于下部茎生叶腋内。花瓣 6~8 枚，近圆形至倒卵形，黄色或稀白色。①②

相近种 **红花绿绒蒿** ***Meconopsis punicea*** Maxim. 花单生花葶，下垂，花瓣 4~6 枚，椭圆形，深红色③。**总状绿绒蒿** ***Meconopsis racemosa*** Maxim. 总状花序，花瓣 5~8 枚，倒卵状长圆形，蓝色或蓝紫色，稀红色④。

xiāngshuǐyuèjì

香水月季 芳香月季，黄酴醾醒

Rosa odorata (Andrews) Sweet

科属：蔷薇科，蔷薇属。

生境：林地、灌丛、牧场、草坡等处。

花期：6~9 月。

常绿色或半常绿攀缘灌木。有散生而粗短钩状皮刺。小叶 5~9 枚，革质，椭圆形至长圆状卵形，先端急尖或渐尖，有紧密锐锯齿；总叶柄和小叶柄有稀疏小皮刺和腺毛。花芳香，单生或 2~3 朵；萼片全缘，披针形；花瓣白色或带粉红色，倒卵形。①②

相近种　**粉红香水月季** ***Rosa odorata*** var. ***erubescens*** (Focke) T. T. Yu & T. C. Ku 花重瓣，粉红色③。**大花香水月季** ***Rosa odorata*** var. ***gigantea*** (Collett ex Crép.) Rehder & E. H. Wilson 花为单瓣，较大，乳白色，芳香④。

yěyíngchūn

金铃花，金梅花 **野迎春**

Jasminum mesnyi Hance

科属：木犀科，茉莉属。
生境：峡谷、林中。
花期：11 月至翌年 8 月。

常绿亚灌木。叶对生，三出复叶或小枝基部具单叶；小叶长卵形或披针形，先端具小尖头，基部楔形，具短柄；花单生叶腋，花叶同放；苞片叶状。花萼钟状，裂片 6~8 枚，小叶状；花冠黄色，漏斗状，冠筒裂片 6~8 枚，宽倒卵形或长圆形。果椭圆形。①②

相近种　**多花素馨** ***Jasminum polyanthum*** Franch. 叶羽状深裂或为羽状复叶，花萼裂片三角形③。**素馨花** ***Jasminum grandiflorum*** L. 花芳香，花萼裂片锥状线形，花冠白色，高脚碟状，裂片多为 5 枚④。

júzhuàngqiānlǐguāng

菊状千里光

Senecio analogus DC.

科属：菊科，千里光属。

生境：林下、林缘、开阔草坡等处。

花期：4~11 月。

多年生草本。基生叶和最下部茎生叶卵状椭圆形至倒披针形，基部微心形或楔形，具齿，不裂或大头羽状分裂，叶柄基部扩大；中部茎生叶长圆形或倒披针状长圆形，大头羽状浅裂或羽状浅裂，耳具齿或细裂，半抱茎。头状花序有舌状花，排成顶生伞房或复伞房花序；总苞钟状。舌状花10~13 朵，舌片黄色，长圆形，管状花多数，花冠黄色。①②③

相近种　千里光 ***Senecio scandens*** Buch.-Ham. ex D. Don 头状花序排成复聚伞圆锥花序，总苞圆柱状钟形，舌片黄色④。

púrgēn

蒲儿根

Sinosenecio oldhamianus

(Maxim.) B. Nord.

科属：菊科，蒲儿根属。

生境：林缘、溪边、潮湿岩石边等处。

花期：1~12 月。

多年生或二年生茎叶草本。基部叶在花期凋落，具长叶柄；茎叶具柄，卵状圆形至卵状披针形，顶端尖或渐尖，基部心形，边缘具齿。头状花序多数排列成顶生复伞房状花序；总苞宽钟状，苞片紫色；舌状花约 13 枚，黄色，长圆形；管状花多数，花冠黄色。①②③

相近种　**耳柄蒲儿根** ***Sinosenecio euosmus*** (Hand.-Mazz.) B. Nord. 叶柄长为叶片 1~2 倍，基部稍扩大，无耳，或中上部叶柄基部渐扩大成卵形或圆形，全缘或稀具齿且半抱茎的耳④。

zhòuyèjuānmáojú

皱叶绢毛菊

Soroseris hookeriana Stebbins

科属：菊科，绢毛菊属。

生境：高山流石滩及草甸。

花期：7~8 月。

多年生莲座状草本。叶稀疏或稠密，沿茎螺旋状排列，或由于茎极短或几无茎而叶在根颈或茎基顶端呈稠密的莲座状排列，倒披针形至长椭圆形，叶柄有狭翼或无翼。头状花序多数，团伞状，生于茎顶或根颈顶端的莲座状叶丛中。总苞狭圆柱状；总苞片 2 层，外层 2 枚，线形。舌状小花 4 枚，黄色。瘦果微压扁，圆柱状。冠毛黄色或灰色。①②③

相近种　**绢毛苣** ***Soroseris glomerata*** (Decne.) Stebbins 头状花序在莲座状叶丛中集成团伞花序，舌状小花 4~6 枚，黄色④。

yāzhíhuā

鸦跖花

Oxygraphis glacialis

(Fisch. ex DC.) Bunge

科属：毛茛科，鸦跖花属。
生境：高山草甸或高山灌丛中。
花期：4~9月。

多年生小草本。植株高2~9厘米，有短根状茎。叶全部基生，卵形、
刂卵形至椭圆状长圆形，全缘，有3出脉，无毛，常有软骨质边缘。花
莛1~5枝，无毛；花单生；萼片5枚，宽倒卵形，近革质，无毛，果后
曾大，宿存；花瓣橙黄色或表面白色，10~15枚，披针形或长圆形，有
~5条脉，基部渐狭成爪，蜜槽呈杯状凹穴；花托较宽扁。聚合果近圆形；
瘦果楔状菱形，有4条纵肋，背肋明显，喙顶生，短而硬，基部两侧有翼。
)②③④

bǎimàigēn

百脉根 牛角花，五叶草

Lotus corniculatus L.

科属：豆科，百脉根属。

生境：湿润山坡、草地或河滩地等。

花期：5~9 月。

多年生草本。羽状复叶，小叶 5 枚，基部 2 枚小叶呈托叶状，纸质，斜卵形或倒披针状卵形。伞形花序。花 3~7 朵集生于花序梗顶端；花梗短，基部有 3 枚与萼等长的叶状苞片，苞片宿存；花萼钟形，萼齿近相等，与萼筒等长；花冠黄色或金黄色，旗瓣扁圆形，瓣片和瓣柄几等长，翼瓣和龙骨瓣等长，均稍短于旗瓣，龙骨瓣呈直角三角形弯曲，喙部窄尖；花丝分离部稍短于雄蕊筒；子房线形，花柱直。荚果直，线状圆柱形褐色，二瓣裂，扭曲。①②③④

huánghuāhèdǐnglán

斑叶鹤顶兰，黄鹤兰 **黄花鹤顶兰**

Phaius flavus (Blume) Lindl.

科属：兰科，鹤顶兰属。
生境：山坡林下阴湿处。
花期：4~10月。

地生草本。叶长椭圆形或椭圆状披针形，基部收窄成柄，常具黄色斑块。花葶侧生假鳞茎基部或基部以上，粗壮，不高出叶层，具数朵至20余朵花。苞片宿存花柠檬黄色，上举，不甚开展；中萼片长圆状倒卵形；花瓣长圆状倒披针形，与萼片近等长；唇瓣贴生蕊柱基部，与蕊柱分离，倒卵形。①②

相近种 **大花鹤顶兰** ***Phaius wallichii*** Lindl. 花葶高出叶层之外，花较大，花期晚，花黄绿色③。**鹤顶兰** ***Phaius tancarvilleae*** (L'Hér.) Blume 花背面白色，内面暗赭色或棕色④。

jǐnjīr

锦鸡儿 娘娘袜

Caragana sinica (Buc'hoz) Rehder

科属：豆科，锦鸡儿属。

生境：山坡和灌丛。

花期：4~5 月。

灌木。羽状复叶有小叶 2 对；托叶硬化成针刺。叶轴脱落或硬化成针刺而宿存；小叶羽状排列，在短枝上的有时为假掌状排列，倒卵形或长圆状倒卵形，上部 1 对通常较大，革质。花单生，花梗中部具关节；花萼钟状基部偏斜；花冠黄色，常带红色，旗瓣窄倒卵形，翼瓣稍长于旗瓣，瓣柄与瓣片近等长，龙骨瓣稍短于翼瓣。荚果圆筒形。①②③

相近种 川西锦鸡儿 ***Caragana erinacea*** Kom. 长枝小叶 2~4 对，羽状，短枝 2 对，假掌状；花冠黄色，旗瓣常带紫红色④。

làchángshù

腊肠树

波斯皂荚，牛角树

Cassia fistula L.

科属：豆科，决明属。
生境：栽培或自生。
花期：6~8 月。

落叶乔木。羽状复叶小叶 3~4 对，对生，宽卵形至长圆形，先端短渐尖而钝，基部楔形，全缘。总状花序疏散，下垂。萼片长卵形，开花时反折；花瓣黄色，倒卵形，近等大；雄蕊 10 枚，其中 3 枚具长而弯曲的花丝，高出花瓣。荚果圆柱形，黑褐色。①②③

相近种　**铁刀木** ***Senna siamea*** (Lam.) H. S. Irwin & Barneby 小叶对生，6~10 对，革质。总状花序生于枝条上部叶腋，排成伞房花序状；花瓣黄色；雄蕊 10 枚，其中 7 枚发育④。

rěndōng

忍冬 金银花，鸳鸯藤

Lonicera japonica Thunb.

科属：忍冬科，忍冬属。

生境：山坡、路旁及村庄。

花期：4~6 月（秋季亦常开花）。

①

②

③

④

半常绿藤本。叶纸质，卵形至卵状披针形，极少有 1 至数个钝缺刻。总花梗常单生小枝上部叶腋，与叶柄等长或较短；苞片卵形或椭圆形。小苞片先端圆或平截；萼筒无毛，萼齿卵状三角形或长三角形；花冠白色，后黄色。果圆形，熟时蓝黑色。①②

相近种 **金银忍冬** ***Lonicera maackii*** (Rupr.) Maxim. 灌木；花冠先白后黄色，唇形③。**华西忍冬** ***Lonicera webbiana*** Wall. ex DC. 花冠紫红色或绛红色，很少白色或由白变黄色，唇形，筒甚短，基部较细④。

sìchuānjǐncài

四川堇菜

川黄堇菜，米林堇菜

Viola szetschwanensis

W. Becker & H. Boissieu

科属：堇菜科，堇菜属。

生境：山地林下、林缘、草坡或灌丛间。

花期：6~8 月。

多年生草本。基生叶具长柄，叶卵状心形或宽卵形，先端短尖，基部深心形或心形；茎生叶宽卵形、肾形或近圆形，先端短尖或渐尖，基部浅心形，具浅圆齿。花黄色；花梗远较叶长，上部具 2 枚线形小苞片；萼片线形；上方花瓣长卵形，具细爪，侧瓣及下瓣稍短。①②

相近种　**紫花地丁** ***Viola philippica*** Cav. 叶片较狭长，通常呈长圆形，基部截形；花较小，距较短而细③。**早开堇菜** ***Viola prionantha*** Bunge 叶片长圆状卵形至狭卵形，先端稍尖或钝，基部稍下延④。

chāchúnxiājǐlán

叉唇虾脊兰

Calanthe hancockii Rolfe

科属：兰科，虾脊兰属。

生境：山地常绿阔叶林下和山谷溪边。

花期：4~5 月。

地生草本。假鳞茎聚生，圆锥形。花期叶未展开，近椭圆形，边缘波状。花葶高，花序疏生少数至 20 余朵花。花稍垂头，常具难闻气味；萼片和花瓣黄褐色；中萼片长圆状披针形，侧萼片似中萼片，等长，较窄；花瓣近椭圆形，唇瓣柠檬黄色，具短爪，与蕊柱翅合生，3 裂，侧裂片镰状长圆形。①②

相近种　**流苏虾脊兰** ***Calanthe alpina*** Hook. f. ex Lindl. 唇瓣不裂，半圆扇形③。**长距虾脊兰** ***Calanthe sylvatica*** (Thouars) Lindl. 花淡紫色，唇瓣 3 裂，距圆筒形，长④。

gǔchuíshíhú

金弓石斛　鼓槌石斛

Dendrobium chrysotoxum Lindl.

科属：兰科，石斛属。
生境：树干上或疏林下的岩石上。
花期：3~5月。

1

2

3

4

易危种。附生草本。茎纺锤形，具多数圆钝条棱，近顶端具叶2~5枚。叶革质，长圆形，先端尖，基部不下延为抱茎鞘。花序近茎端发出，疏生多花，花序梗基部具鞘。花质厚，金黄色，稍有香气；中萼片长圆形，侧萼片与中萼片近等大，萼囊近圆形；花瓣倒卵形，与中萼片等长而甚宽，先端近圆，唇瓣色较深，近肾状圆形，较花瓣大，先端2浅裂，基部两侧具少数红色条纹，边缘波状，有时具“U”形栗色斑块。①②③

相近种　**肿节石斛** ***Dendrobium pendulum*** Roxb. 叶基部下延为抱茎鞘④。

mùbiēzi

木鳖子 番木鳖，老鼠拉冬瓜

Momordica cochinchinensis (Lour.) Spreng.

科属：葫芦科，苦瓜属。

生境：山沟、林缘及路旁。

花期：6~8 月。

粗壮大藤本。全株近无毛或稍被柔毛。叶柄基部或中部有 2~4 腺体；叶卵状心形或宽卵状圆形，3~5 中裂至深裂或不裂，卷须不分枝。雌雄异株；雄花单生叶腋或 3~4 朵着生极短总状花序轴；花梗顶端生兜状苞片，圆肾形，花萼裂片宽披针形或长圆形，先端渐尖或尖；花冠黄色，裂片卵状长圆形；雄蕊 3 枚，药室 1 回折曲。雌花单生；花梗近中部生一苞片。果卵圆形，顶端有短喙，成熟时红色，肉质，密生刺尖突起。①②③④

shùhuāshíhú

金兰 束花石斛

Dendrobium chrysanthum
Wall. ex Lindl.

科属：兰科，石斛属。
生境：山地树干上或山谷阴湿的岩石上。
花期：9~10 月。

易危种。附生草本。茎肉质，下垂，具多节。叶 2 列，互生，纸质，
长圆状披针形，基部具鞘。伞形花序几无花序梗，每 2~6 朵花成束侧生
于叶茎上部。花黄色，质厚；花瓣稍凹入，倒卵形，较萼片大，唇瓣凹入，
肾形或横长圆形，不裂，先端近圆，唇盘两侧各具 1 栗色斑块。①②

相近种 流苏石斛 ***Dendrobium fimbriatum*** Hook. 总状花序，花金黄色，开展③。
球花石斛 ***Dendrobium thyrsiflorum*** Rchb. f. ex André 叶基部不下延为抱茎鞘；花序下
垂，近茎顶腋生，花白色④。

suōcǎolán

莎草兰

Cymbidium elegans Lindl.

科属：兰科，兰属。
生境：林中树上或岩壁上。
花期：10~12 月。

濒危种。附生草本。叶 6~13 枚，带形，先端略 2 裂。花葶下弯，花序下垂，具 20 朵花。花下垂，近钟形，稍有香气，奶油黄色或淡黄绿色有时略有淡粉红色晕，唇瓣偶疏生红斑点；萼片窄倒卵状披针形；花瓣线状倒披针形，唇瓣倒披针状三角形，3 裂；花粉块 2 个。①②

相近种　春兰 *Cymbidium goeringii* (Rchb. f.) Rchb. f. 花粉块 4 个，成 2 对③。**虎头兰** ***Cymbidium hookerianum*** Rchb. f. 花序近直立或弯，较少下垂；花非钟形，花被片展开④。

xìnghuángdōulán

杏黄兜兰

Paphiopedilum armeniacum

S. C. Chen & F. Y. Liu

科属：兰科，兜兰属。
生境：岩壁积土处或草坡上。
花期：2~4 月。

极危种。草本。叶基生，2 列，5~7 枚，长圆形，坚革质，边缘有细齿。花葶直立，顶生 1 朵花；花黄色，退化雄蕊有淡栗色纵纹；中萼片卵形或卵状披针形，合萼片与中萼片相似，先端钝；花瓣宽卵状椭圆形至近圆形，唇瓣深囊状，囊底有紫斑。①②

相近种　**麻栗坡兜兰** ***Paphiopedilum malipoense*** S. C. Chen & Z. H. Tsi 花葶通常长达 30 厘米以上，花黄绿色或淡绿色，略有紫栗色斑③。**硬叶兜兰** ***Paphiopedilum micranthum*** Tang & F. T. Wang 花不为白色，叶片边缘不具细齿④。

huángjiānghuā

黄姜花

Hedychium flavum Roxb.

科属：姜科，姜花属。

生境：山谷密林中。

花期：8~9月。

陆生或附生草本。叶片长圆状披针形或披针形，顶端渐尖并具尾尖，基部渐狭；无柄，叶舌膜质，披针形。穗状花序长圆形；苞片覆瓦状排列，长圆状卵形，每一苞片内有花3朵；花黄色，花萼管顶端一侧开裂；花冠管较萼管略长，裂片线形；唇瓣倒心形，黄色，当中有一个橙色的斑。①②

相近种　**红姜花** ***Hedychium coccineum*** Sm. 苞片排列稍疏离或紧密，但不呈覆瓦状，常包卷住花③。**密花姜花** ***Hedychium densiflorum*** Wall. 穗状花序密生多花；花小，淡黄色，花萼较苞片略长④。

长柱十大功劳

Mahonia duclouxiana Gagnep.

科属：小檗科，十大功劳属。

生境：林中、灌丛中、路边、河边或山坡。

花期：11 月至翌年 4 月。

1

2

3

4

灌木。叶薄纸质至薄革质，具 4~9 对无柄小叶；小叶狭卵形至椭圆状披针形，从基部向顶端叶长渐增，但叶宽渐减；小叶基部圆形，偏斜，具齿，先端渐尖或急尖；有时顶生小叶较大，具小叶柄。总状花序 4~15 个簇生，有时具短分枝，花黄色；外萼片卵形至三角状卵形。浆果近圆形，深紫色。①②

相近种 **细柄十大功劳** ***Mahonia gracilipes*** (Oliv.) Fedde 圆锥花序，萼片紫色③。**宽苞十大功劳** ***Mahonia eurybracteata*** Fedde 总状花序 4~10 个簇生，不分枝，花黄色④。

dànhuánghuābǎihé

淡黄花百合

Lilium sulphureum Baker ex Hook. f.

科属：百合科，百合属。

生境：路边、草坡或山坡阴处疏林下。

花期：6~7 月。

鳞茎圆形。叶散生，披针形，上部叶腋具褐色珠芽。苞片卵状披针形或椭圆形；花通常 2 朵，喇叭形，芳香，白色；花被片长 17~19 厘米，外轮花被片长圆状倒披针形，内轮花被片匙形；子房紫色，柱头膨大。①②

相近种 **小百合** ***Lilium nanum*** Klotzsch 花单生，钟形，下垂；花被片淡黄色或紫红色，内有淡紫色斑点③。**百合** ***Lilium brownii*** var. ***viridulum*** Baker 叶倒披针形至倒卵形。花单生或几朵排成近伞形；花喇叭形，有香气，乳白色，外面稍带紫色，无斑点④。

diānmùjiāngzǐ

滇木姜子

Litsea rubescens

var. ***yunnanensis*** Lecomte

科属：樟科，木姜子属。

生境：山坡林下或灌丛中。

花期：3~4 月。

落叶灌木或小乔木。小枝嫩时红色。叶互生，叶片圆状椭圆形，羽状脉；嫩枝、叶脉、叶柄常为红色。伞形花序腋生，有花 15~18 朵，先叶开放或与叶同时开放；花被裂片 6 枚，黄色，宽椭圆形；能育雄蕊 9 枚。果圆形，果梗先端稍增粗。①②

相近种 **山鸡椒** ***Litsea cubeba*** (Lour.) Pers. 叶互生，披针形或长圆形。伞形花序单生或簇生，每花序具花 4~6 朵③。**黑壳楠** ***Lindera megaphylla*** Hemsl. 常绿乔木④。

fěnyèxiǎobò

粉叶小檗 大黄连刺

Berberis pruinosa Franch.

科属：小檗科，小檗属。

生境：灌丛、林地或针叶林下等处。

花期：3~4 月。

常绿灌木。茎刺粗壮，三分叉。叶硬革质，椭圆形或倒卵形，先端钅尖或短渐尖，基部楔形，通常具 1~6 枚刺锯齿或刺齿，偶有全缘或多让 8~9 枚刺齿；近无柄。花 8~20 朵簇生；花黄色，瓣倒卵形，先端深缺裂基部缢缩呈爪。①②

相近种 **豪猪刺** ***Berberis julianae*** C. K. Schneid. 茎刺粗壮，三分叉，叶革质；花黄色，10~25 朵簇生③。**厚檐小檗** ***Berberis crassilimba*** C. Y. Wu ex S. Y. Bao 叶革质长圆形至倒卵形；花瓣黄色，倒卵形④。

kāikǒujiàn

开口箭

Campylandra chinensis (Baker) M. N. Tamura, S. Yun Liang & Turland

科属：百合科，开口箭属。
生境：林下阴湿处、溪边或路旁。
花期：4~6 月。

多年生草本。叶基生，倒披针形至长圆状披针形，基部渐窄；鞘叶 2 枚，披针形或长圆形。花序直立，稍弯曲，密生多花。花短钟状；花被筒裂片卵形，肉质，黄色或黄绿色；花丝基部宽，花丝上部分离，内弯；花柱不明显，柱头钝三棱形，顶端 3 裂。浆果圆形，熟时红色。①②

相近种　**橙花开口箭** *Campylandra aurantiaca* Baker 花被筒长裂片三角状卵形，黄色或橙色③。**长柱开口箭** *Tupistra grandistigma* F. T. Wang & S. Yun Liang 花被筒裂片披针形，肉质，黑紫色④。

máoruǐhuā

毛蕊花

Verbascum thapsus L.

科属：玄参科，毛蕊花属。

生境：山坡草地、河岸草地。

花期：6~8 月。

二年生草本。高达 1.5 米，全株被密而厚的浅灰黄色星状毛。基生叶和下部茎生叶倒披针状长圆形，基部渐窄成短柄状，边缘具浅圆齿，上部茎生叶逐渐缩小而渐变为圆形或卵状长圆形，基部下延成窄翅。穗状花序圆柱状，果时可伸长和变粗。花密集，数朵簇生；花梗很短；花萼裂片披针形；花冠黄色；雄蕊 5 枚，后方 3 枚的花丝有毛，前方 2 枚的花丝无毛。蒴果卵圆形，约与宿存花萼等长。①②③④

sìchuānlàbànhuā

四川蜡瓣花

Corylopsis willmottiae

Rehder & E. H. Wilson

科属：金缕梅科，蜡瓣花属。
生境：森林。
花期：3~6月。

落叶小乔木或灌木状。叶倒卵形，先端骤短尖，基部不等侧微心形，上部具细浅齿；托叶长圆形，紫色。总状花序具1~3枚叶，具12~20朵花，花序轴被毛，总苞片卵圆形，小苞片卵形。萼筒状，萼齿卵形；花瓣宽卵形，具短爪；退化雄蕊2裂，先端尖。①②③

相近种　滇蜡瓣花 ***Corylopsis yunnanensis*** Diels 花柱突出花冠之外，退化雄蕊先端尖，萼齿无毛④。

hébāoshānguìhuā

荷包山桂花

Polygala arillata Buch.-Ham. ex D. Don

科属：远志科，远志属。

生境：山坡林下或林缘。

花期：5~6 月。

小乔木或灌木状。叶椭圆形至长圆状披针形，先端渐尖，基部楔形。总状花序与叶对生。萼片花后脱落，外层中央 1 枚兜状，内 2 枚花瓣状，红紫色，与花瓣几成直角；花瓣黄色，侧瓣短于龙骨瓣，龙骨瓣盔状，具无柄条裂鸡冠状附属物。蒴果宽肾形或稍心形，具窄翅及缘毛。①②

相近种　**瓜子金** ***Polygala japonica*** Houtt. 萼片花后全部宿存，花瓣白色或紫色，龙骨瓣舟状，具流苏状附属物③。**黄花倒水莲** ***Polygala fallax*** Hemsl. 总状花序顶生，花密集，花瓣黄色④。

wǎngmàituówú

网脉橐吾

Ligularia dictyoneura

(Franch.) Hand.-Mazz.

科属：菊科，橐吾属。

生境：水边、林下、灌丛及山坡草地。

花期：6~8 月。

多年生灰绿色草本。丛生叶，直立，上部具窄翅，基部有窄鞘，叶卵形、长圆形或近圆形，边缘有锯齿或具小齿，基部心形，两面无毛，叶脉羽状，网脉明显，叶柄上部具窄翅，基部有窄鞘；茎生中下部叶倒卵形或卵形，无柄，基部鞘状抱茎或半抱茎；茎上部叶卵状披针形或线形。头状花序辐射状；总苞近钟形或陀螺形，总苞片 6~8 枚，2 层，长圆形。舌状花 4~6 枚，黄色，舌片长圆形；管状花多数，伸出总苞，冠毛黄白色，与花冠等长。

①②③④

jiéxiāng

结香 黄瑞香，金腰带

Edgeworthia chrysantha Lindl.

科属：瑞香科，结香属。

生境：喜生于阴湿肥沃地。

花期：冬末春初。

落叶灌木。小枝粗，常 3 叉分枝，棕红色或褐色，幼时被绢状毛，叶痕明显。叶互生，纸质，椭圆状长圆形、披针形或倒披针形，两面被灰白色丝状柔毛。先叶开花，头状花序顶生或侧生，下垂，有花 30~50 朵，结成绒球状，花序梗被白色长硬毛；花黄色，芳香。果卵形，绿色，顶端有毛。①②③

相近种 **白结香** ***Edgeworthia albiflora*** Nakai 头状花序生于枝顶叶腋，具 30~50 朵花，花序梗密被丝状毛；花无梗，花萼外密被白色丝状毛，白色④。

dìyǒngjīnlián

地涌金莲

Musella lasiocarpa

(Franch.) C. Y. Wu ex H. W. Li

科属：芭蕉科，地涌金莲属。
生境：山间坡地或栽于庭园内。
花期：3~12 月。

植株丛生。假茎矮小，基部有宿存的叶鞘。叶片长椭圆形，先端锐尖，基部近圆形，两侧对称，有白粉。花序直立，直接生于假茎上，密集如球穗状，苞片干膜质，黄色或淡黄色，有花 2 列，每列 4~5 朵花；合生花被片卵状长圆形，先端具 5 齿裂，离生花被片先端微凹，凹陷处具短尖头。浆果三棱状卵形，外面密被硬毛，果内具多数种子。①②③

相近种 **象腿蕉** ***Ensete glaucum*** (Roxb.) Cheesman 假茎单生，高达 5 米；花序初时如莲座状，后伸长成柱状，下垂④。

chuānbǎihé

川百合

Lilium davidii Duch. ex Elwes

科属：百合科，百合属。

生境：山坡草地、林下潮湿处或林缘。

花期：7~8 月。

多年生草本。鳞茎扁圆形或宽卵形。茎有时带紫色。叶多数，散生，在中部较密集，线形，边缘反卷。花单生或 2~8 朵成总状花序；苞片叶状花下垂，橙黄色，近基部约 2/3 有紫黑色斑点；内轮花被片比外轮稍宽。①②

相近种　**紫花百合** ***Lilium souliei*** (Franch.) Sealy 花单生，钟形，下垂，紫红色无斑点，内面基部颜色淡③。**卷丹** ***Lilium tigrinum*** Ker Gawl. 叶散生，矩圆状披针形或披针形。花 3~6 朵或更多；花下垂，花被片披针形，反卷，橙红色，有紫黑色斑点④。

chuānxīxiǎohuángjú

鞑新菊 # 川西小黄菊

Tanacetum tatsienense

(Bureau & Franch.) K. Bremer & Humphries

科属：菊科，菊蒿属。
生境：高山草甸、灌丛或山坡砾石地。
花期：7~9月。

多年生草本。基生叶椭圆形或长椭圆形，二回羽状分裂，一、二回全裂，一回侧裂片5~15对，二回掌状或掌式羽状分裂；莲生叶无柄。头状花序单生茎顶；总苞片约4层，边缘黑褐或褐色膜质或全部苞片灰色。舌状花橘黄色或微带橘红色，舌片线形或宽线形。瘦果。①②③

相近种 **藏匹菊** *Tanacetum atkinsonii* (C. B. Clarke) Kitam. 头状花序单生茎顶，总苞片边缘黑褐色宽膜质，舌状花黄色④。

huǒshāohuā

火烧花 缅木

Mayodendron igneum (Kurz) Kurz

科属：紫葳科，火烧花属。
生境：干热河谷、低山丛林。
花期：2~5 月。

常绿乔木。高达 15 米。树皮光滑。奇数二回羽状复叶对生，小叶卵形或卵状披针形，先端长渐尖，基部宽楔形，全缘。侧脉 5~6 对。短总状花序具 5~13 朵花，着生于老茎或侧生短枝；花萼佛焰苞状，一边开裂，密被柔毛；花冠筒状，橙黄色，檐部裂片 5 枚，圆形，近相等，反折；雄蕊 4 枚，两两成对，近等长，着生花冠筒近基部，基部被柔毛，花药 2 室，药隔成芒尖，花药及柱头微露出花冠筒。蒴果线形，下垂。①②③④

zhōngguówúyōuhuā

火焰花 # 中国无忧花

Saraca dives Pierre

科属：豆科，无忧花属。

生境：密林或疏林中湿润处。

花期：4~5 月。

易危种。乔木。羽状复叶有小叶 5~6 对，嫩叶略带紫红色，下垂；小叶长椭圆形至长倒卵形，基部楔形。花序腋生，较大，花序轴被毛或近无毛；苞片卵形，披针形或长圆形，下部 1 片最大，往上逐渐变小。花黄色，两性或单性；花梗短于花萼管，无关节；雄蕊 8~10 枚，常 1~2 枚退化呈钻状，花丝突出，花药长圆形。①②③

相近种　云南无忧花 ***Saraca griffithiana*** Prain 总花梗和总轴均被黄绿色短柔毛；花多数，密集，具长梗；雄蕊 4 枚，发育④。

mǎyīngdān

马缨丹 臭草，五色梅

Lantana camara L.

科属：马鞭草科，马缨丹属。

生境：海边沙滩和空旷地区。

花期：全年。

灌木或蔓性灌木。高达 2 米。茎枝常被倒钩状皮刺。叶卵形或卵状长圆形，先端尖或渐尖，基部心形或楔形，具钝齿，上面具触纹及短柔毛，下面被硬毛，侧脉约 5 对。花序径 1.5~2.5 厘米，花序梗粗，长于叶柄；苞片披针形；花萼管状，具短齿；花冠黄色或橙黄色，花后深红色。果圆形紫黑色。①②③④

xiāzihuā

吴福花 # 虾子花

Woodfordia fruticosa (L.) Kurz

科属：千屈菜科，虾子花属。

生境：山坡路旁。

花期：春季。

灌木。有长而披散的分枝；幼枝有短柔毛。叶对生，近革质，披针形或卵状披针形，顶端渐尖，基部圆形或心形，上面通常无毛，下面被灰白色短柔毛，有时全部无毛。1~15 朵花组成短聚伞状圆锥花序，被短柔毛；萼筒花瓶状，鲜红色，裂片矩圆状卵形；花瓣小而薄，淡黄色，线状披针形，与花萼裂片等长；雄蕊 12 枚，突出萼外；子房矩圆形，2 室，花柱细长，超过雄蕊。蒴果膜质，线状长椭圆形，开裂成 2 果瓣。①②③④

jiānzimù

尖子木 牙娥拔翠，砚山红

Oxyspora paniculata (D. Don) DC.

科属：野牡丹科，尖子木属。

生境：山谷林下，阴湿处或溪边。

花期：7~9 月，稀 10 月。

灌木。高达 2~6 米。叶卵形、窄椭圆状卵形或近椭圆形，先端渐尖，基部圆或浅心形，具不整齐小齿，基出脉 7 条，上面被糠秕状鳞片或几无，下面通常仅脉上被糠秕状星状毛，常密被糠秕状星状毛。聚伞花序组成顶生圆锥花序，花序梗及花序分枝被糠秕状星状毛，基部具叶状总苞 2 枚；苞片和小苞片披针形或钻形。花瓣红色或粉红色，或深玫瑰红色，卵形。蒴果倒卵圆形，顶端具胎座轴；宿存花萼较果长，漏斗形。①②③④

lièyèqiūhǎitáng

裂叶秋海棠

Begonia palmata D. Don

科属：秋海棠科，秋海棠属。

生境：山坡、沟谷、水沟边灌丛或林下。

花期：8 月。

多年生具茎草本。茎生叶斜卵形或偏圆形，先端渐尖，基部微心形或心形，疏生齿，齿尖常有短芒，掌状 3~7 浅至中至深裂，裂片常再浅裂。花玫瑰色、白色至粉红色，4 至数朵，二至三回二歧聚伞状花序；苞片大。蒴果下垂，倒卵圆形，具不等 3 翅。①②

相近种 **心叶秋海棠** ***Begonia labordei*** H. Lév. 叶基部略偏斜，心形，花粉红色或淡玫瑰色③。**中华秋海棠** ***Begonia grandis*** subsp. ***sinensis*** (A. DC.) Irmsch. 叶片两侧不等，花葶有纵棱，花粉红色④。

zàngbōluóhuā

藏波罗花

Incarvillea younghusbandii Sprague

科属：紫葳科，角蒿属。

生境：高山草甸及山坡砾石垫状灌丛中。

花期：5~8 月。

矮小宿根草本。无茎。叶基生，平铺于地上，为一回羽状复叶。花
生或 3~6 朵着生于叶腋中抽出缩短的总梗上。花萼钟状。花冠细长，
斗状，花冠筒橘黄色，花冠裂片开展，圆形。蒴果近于木质，弯曲或新月形
①②

相近种 **密生波罗花** ***Incarvillea compacta*** Maxim. 叶聚生于茎基部，总状
序极短，近伞状，具短梗，由叶丛中抽出③。**黄波罗花** ***Incarvillea lutea*** Bureau
Franch. 植株具茎，花冠黄色，具紫色斑点及褐色条纹④。

chuísīhǎitáng

垂丝海棠

Malus halliana Koehne

科属：蔷薇科，苹果属。
生境：山坡丛林中或山溪边。
花期：3~4月。

乔木。叶卵形至长椭圆状卵形，先端长渐尖，边缘有齿，常带紫晕。花4~6朵，组成伞房花序。花梗细弱，下垂，紫色；花瓣常5数以上，粉红色，倒卵形，基部有短爪；雄蕊20~25枚。果梨形或倒卵圆形，稍带紫色，萼片脱落。①②

相近种 **湖北海棠** ***Malus hupehensis*** (Pamp.) Rehder 花梗稍粗壮，花瓣粉白色或近白色，倒卵形；雄蕊20枚③。**花红** ***Malus asiatica*** Nakai 伞形花序集生枝顶，花瓣倒卵形或长圆状倒卵形，基部有短爪，淡粉色；雄蕊17~20枚④。

cìyèdiǎndìméi

刺叶点地梅

Androsace spinulifera (Franch.) R. Knuth

科属：报春花科，点地梅属。

生境：草地、林缘、砾石缓坡和湿润处。

花期：5~6 月。

多年生草本。莲座状叶丛单生或 2~3 枚簇生。叶二型，外层叶无柄，卵形或卵状披针形，先端软骨质，蜡黄色，渐尖成刺状；内层叶倒披针形伞形花序多花，花萼分裂达全长 1/3，裂片近卵形，先端稍钝；花冠深红色裂片倒卵形，先端微凹。①②

相近种　**景天点地梅** ***Androsace bulleyana*** Forrest 伞形花序多花；花冠紫红色，喉部色较深③。**高原点地梅** ***Androsace zambalensis*** (Petitm.) Hand.-Mazz. 伞形花序 2~5 朵花；花冠白色，喉部周围粉红色④。

dàhuācìshēn

大花刺参

Acanthocalyx nepalensis

subsp. ***delavayi*** (Franch.) D. Y. Hong

科属：刺参科，刺续断属。

生境：山坡草甸。

花期：6~8月。

1

2

3

4

多年生草本。基生叶线状披针形，先端渐尖，基部渐狭，成鞘状抱茎；茎生叶对生，2~4对，长圆状卵形至披针形，向上渐小。假头状花序顶生，含10朵花以上，有时达20朵花；总苞苞片4~6对，坚硬，长卵形至卵圆形，边缘具多数黄色硬刺，基部更多；花萼筒状，下部绿色，上部边缘紫色，或全部紫色；花冠红色或紫色。果柱形，蓝褐色。①②③

相近种　白花刺续断 ***Acanthocalyx alba*** (Hand.-Mazz.) M. J. Cannon 植株较纤细，花萼全绿色，花冠白色④。

dēnglónghuā

灯笼花 深红树萝卜

Agapetes lacei Craib

科属：杜鹃花科，树萝卜属。

生境：附生于常绿林中的树上。

花期：1~6月。

附生灌木。叶片革质，椭圆形，先端锐尖或钝，基部楔形或圆形，上半部边缘有细锯齿、无毛，表面脉不显，背面脉大多明显。花单生叶腋；花萼筒被柔毛及少数腺头刚毛，花萼檐部深裂，裂片三角形脉；花冠圆筒状，檐部稍扩大，深红色，裂片三角形，先端暗绿色；花柱细长，无毛，柱头截形。果小。①②③

相近种　缅甸树萝卜 ***Agapetes burmanica*** W. E. Evans 叶片革质，长圆状披针形总状花序生于老枝，少花；花冠筒状，淡红色或玫瑰红色，具几条深紫色横纹④

dēnglóngshù

灯笼树

钩钟花，荔枝木

Enkianthus chinensis Franch.

科属：杜鹃花科，吊钟花属。

生境：山坡疏林中。

花期：5~7月。

落叶灌木或小乔木。叶聚生枝端，坚纸质或薄纸质，椭圆形或长圆状椭圆形，有锯齿；伞房状总状花序生枝顶。花冠橙黄色，具红色条纹，宽钟状，裂片常暗红色，微反卷；雄蕊长不及花冠长度之半。蒴果卵圆形，下垂。①②③

相近种　**齿缘吊钟花** ***Enkianthus serrulatus*** (E. H. Wilson) C. K. Schneid. 伞形花序。花冠钟形，白绿色，口部5浅裂，裂片反卷④。

diāndīngxiāng

滇丁香

Luculia pinceana Hook.

科属：茜草科，滇丁香属。
生境：山坡林地或灌丛、山谷溪边。
花期：3~12 月。

灌木或乔木。高 2~10 米。叶纸质，长圆形、长圆状披针形或广椭圆形顶端短渐尖或尾状渐尖，基部楔形或渐狭，全缘，上面无毛，下面常较苍白色，无毛或被柔毛，或仅沿脉上被柔毛，常在脉腋内有簇毛；中脉在上面平坦，在下面凸起，侧脉 9~14 对。伞房状的聚伞花序顶生，多花；花美丽，芳香；花冠红色，少为白色，高脚碟状，冠管细圆柱形。①②③④

dùjuān

杜鹃

山石榴，映山红

Rhododendron simsii Planch.

科属：杜鹃花科，杜鹃属。
生境：马尾松林、林缘、开阔山地灌丛。
花期：4~5 月。

落叶灌木。叶卵形、椭圆形或卵状椭圆形，具细齿。花 2~6 朵簇生枝顶；花萼 5 深裂；花冠漏斗状，玫瑰、鲜红色或深红色，5 裂，有深色斑点；雄蕊 10 枚，长约与花冠相等；子房卵圆形，花柱伸出花冠外。蒴果卵圆形，花萼宿存。①②

相近种　**基毛杜鹃** ***Rhododendron rigidum*** Franch. 植株被鳞片，有时兼有少量毛，叶常绿，花冠蕾期淡紫色③。**云南杜鹃** ***Rhododendron yunnanense*** Franch. 花冠白色带粉红色或浅紫色，蕾期白色④。

gāopényīngtáo

高盆樱桃 箐樱桃，云南欧李

Cerasus cerasoides

(Buch.-Ham. ex D. Don) S. Ya. Sokolov

科属：蔷薇科，樱属。
生境：沟谷密林中。
花期：10~12 月。

乔木。叶片卵状披针形或长圆披针形，先端长渐尖，叶缘具锯齿。花1~3 朵，伞形排列，与叶同时开放；萼筒钟状，常红色；萼片三角形，先端急尖，常带红色；花瓣卵圆形，先端圆钝或微凹，淡粉色至白色。核果圆卵形，熟时紫黑色。①②

相近种 **华中樱桃** ***Cerasus conradinae*** (Koehne) T. T. Yu & C. L. Li 花序具花 3~朵，先叶开放；花瓣白色或粉红色，先端 2 裂③。**云南樱桃** ***Cerasus yunnanens*** (Franch.) T. T. Yu & C. L. Li 花瓣白色，卵形，先端下凹④。

géyèmíhóutáo

革叶猕猴桃

Actinidia rubricaulis var. ***coriacea***

(Finet & Gagnep.) C. F. Liang

科属：猕猴桃科，猕猴桃属。

生境：山地阔叶林中。

花期：4~5 月。

较大的中型半常绿藤本。叶革质，倒披针形，顶端急尖，上部有若干粗大锯齿。花红色，径约 1 厘米；萼片 4~5 枚，卵圆形至矩卵形；花瓣 5 枚，瓢状倒卵形。果暗绿色，卵圆形至柱状卵珠形，幼时被有茶褐色绒毛，渐老渐秃净，有枯褐色斑点，晚期仍有反折的宿存萼片。①②③

相近种　**中华猕猴桃** *Actinidia chinensis* Planch. 叶纸质。聚伞花序 1~3 朵花。萼片卵形或钻形，被灰白色或黄褐色绒毛；花初白色，后橙黄④。

hóng huā wǔ wèi zǐ

红花五味子

Schisandra rubriflora Rehder & E. H. Wilson

科属：五味子科，五味子属。

生境：河谷、山坡林中。

花期：5~6 月。

落叶木质藤本。叶纸质，倒卵形、椭圆状倒卵形或倒披针形，稀椭圆形或卵形，上部较宽，先端渐尖，基部楔形，边缘具胼胝质尖锯齿。花红色；花被片 5~8 枚，椭圆形或倒卵形；雄花雄蕊群椭圆状倒卵圆形或近圆形；雌花雌蕊群长圆状椭圆形。聚合果的小浆果红色，椭圆形或近圆形。种子肾形。①②③

相近种 **华中五味子** ***Schisandra sphenanthera*** Rehder & E. H. Wilson 花生于小枝近基部叶腋。花被片 5~9 枚，橙黄色，椭圆形或长圆状倒卵形④。

hónghuāyánméi

红花岩梅

Diapensia purpurea Diels

科属：岩梅科，岩梅属。

生境：山顶或荒坡岩壁上。

花期：6~8月。

常绿垫状平卧亚灌木。多分枝。叶密生茎上，革质，匙状椭圆形或匙状长圆形，全缘，反卷，基部具宽翅下延于叶柄成鞘状，包茎。花蔷薇紫色或粉红色，几无梗；萼片5枚，分离，匙形或长圆形；花冠筒圆筒形，檐部5裂，裂片卵圆形，先端钝尖；雄蕊5枚，生于花冠筒喉部。蒴果圆形。①②③

相近种　喜马拉雅岩梅 ***Diapensia himalaica*** Hook. f. & Thomson 花蔷薇色；萼片紫红色，卵形，果期增大，卵状椭圆形或近平截；花冠钟状，花冠筒部长约为萼片2倍④。

jǐnkuí

锦葵 荆葵，小钱花

Malva cathayensis

M. G. Gilbert, Y. Tang & Dorr

科属：锦葵科，锦葵属。

生境：多栽培。

花期：5~10月。

二年生或多年生直立草本。分枝多。叶圆心形或肾形，5~7 浅裂，裂片先端圆或钝，基部圆或近心形，具圆锯齿；具长叶柄，托叶偏斜，近卵形具疏锯齿。花 2~11 朵簇生叶腋。小苞片 3 枚，长圆形，先端钝圆；花萼杯状，萼裂片 5 枚，宽三角形；花冠紫红色，稀白色；花瓣 5 枚，匙形或倒心形。果扁圆形。①②③

相近种 **蜀葵** ***Alcea rosea*** L. 花单生或近簇生叶腋，或成顶生总状花序；花冠红色、紫色、白、黄色、粉红色、黑紫色，重瓣或单瓣④。

kāibànbàozihuā

开瓣豹子花

Nomocharis aperta (Franch.) E. H. Wilson

科属：百合科，豹子花属。
生境：山坡林下或草地上。
花期：6~7 月。

多年生草本。鳞茎卵形，黄白色。叶散生，披针形或卵状披针形。花~6 朵，似碟形，粉红色或红色，内面基部具细点，上有紫红色斑块；外花被片卵形或椭圆形，全缘；内轮花被片宽椭圆形，内面基部具 2 个红色垫状物；花丝下部稍宽，扁平，紫红色，上端渐细，黄白色。①②

相近种　**美丽豹子花** ***Nomocharis basilissa*** Farrer ex W. E. Evans 花单生或 2~5 排列成疏松的总状花序，下垂，红色或基部带紫色③。**豹子花** ***Nomocharis rdanthina*** Franch. 内轮花被片具斑块或斑点④。

liǎngtóumáo

两头毛

Incarvillea arguta (Royle) Royle

科属：紫葳科，角蒿属。
生境：干热河谷、山坡灌丛中。
花期：3~7 月。

多年生草本。一回羽状复叶互生，不聚生茎基部；小叶 5~11 枚，状披针形，先端长渐尖，基部宽楔形，两侧不等，具锯齿。顶生总状花序有 6~20 朵花；花萼钟状，萼齿 5 枚，钻形，基部近三角形；花冠淡红色紫红色或粉红色，钟状长漏斗形，花冠筒基部成细筒。蒴果线状圆柱形，革质。①②③

相近种　角蒿 ***Incarvillea sinensis*** Lam. 顶生总状花序，疏散。花萼钟状，色带紫红色；花冠淡玫瑰色或粉红色，有时带紫色，钟状漏斗形④。

mǎyīngdùjuān

马缨花 **马缨杜鹃**

Rhododendron delavayi Franch.

科属：杜鹃花科，杜鹃属。

生境：常绿阔叶林或灌木丛中。

花期：5 月。

常绿灌木或小乔木。高达 13 米。叶革质，椭圆状披针形，先端骤尖，部楔形，边缘反卷，上面深绿色，成长后无毛，下面有灰白色或淡棕色绵状毛被。顶生伞形花序有 10~20 朵花，花序轴被红棕色柔毛。花冠状，肉质，深红色，基部有 5 个黑红色蜜腺囊；雄蕊 10 枚。蒴果圆柱形，毛。①②③

相近种　**似血杜鹃** ***Rhododendron haematodes*** Franch. 顶生伞形花序有 6~10 朵，花序轴短，被棕色柔毛。花梗淡红色，锈色柔毛；花冠筒状钟形，肉质，红色或紫色④。

mùmián

木棉 攀枝花，英雄树

Bombax ceiba L.

科属：木棉科，木棉属。
生境：干热河谷及稀树草原。
花期：3~4月。

落叶大乔木。高达25米，分枝平展；幼树树干常有圆锥状粗刺。状复叶，小叶5~7枚，长圆形或长圆状披针形。花单生枝顶叶腋，红色有时橙红色，径约10厘米；花萼杯状，内面密被淡黄色短绢毛；花瓣肉质倒卵状长圆形。蒴果长圆形，密被灰白色长柔毛和星状柔毛。种子多数倒卵圆形，光滑。①②③④

piānhuābàochūn

偏花报春

Primula secundiflora Franch.

科属：报春花科，报春花属。

生境：沟边、河滩、高山沼泽和湿草地。

花期：6~7 月。

1

2

3

4

多年生草本。叶多枚丛生，叶柄具宽翅；叶长圆形至披针形，先端钝或稍尖，基部渐窄，具三角形小牙齿。花葶顶端被白粉色；伞形花序具~10 朵花。花萼钟状；花冠紫红色或玫瑰红色，冠筒裂片倒卵状长圆形，端圆或微凹缺。①②

相近种　**钟花报春** ***Primula sikkimensis*** Hook. f. 花葶顶端被黄粉，伞形花序常 1 轮，2 至多花，花萼内外面均被黄粉，花冠黄色③。**海仙报春** ***Primula issonii*** Franch. 伞形花序 2~6 轮，每轮 3~10 朵花，花冠深红色或紫红色④。

yěmiánhuā

野棉花

Anemone vitifolia Buch.-Ham. ex DC.

科属：毛茛科，银莲花属。

生境：山地草坡、沟边或疏林中。

花期：7~10 月。

草本。根状茎斜，木质。基生叶 2~5 枚，均为单叶，有长柄；叶片心状卵形或心状宽卵形，顶端急尖 3~5 浅裂，边缘有小牙齿。花葶粗壮；聚伞花序二至四回分枝；苞片 3 枚，形状似基生叶，但较小，有柄；萼片 5 枚，白色或带粉红色，倒卵形；雄蕊长约为萼片长度的 1/4，花丝丝形聚合果圆形；瘦果有细柄。①②③

相近种 **大火草** ***Anemone tomentosa*** (Maxim.) C. P'ei 基生叶 3~4 枚，有长柄，为三出复叶，有时有 1~2 叶为单叶④。

zhòupímùguā

贴梗海棠，铁脚梨 **皱皮木瓜**

Chaenomeles speciosa (Sweet) Nakai

科属：蔷薇科，木瓜属。
生境：习见栽培。
花期：3~5 月。

落叶灌木。枝条直立，开展，有刺。叶卵形至椭圆形，稀长椭圆形，具尖锐锯齿，齿尖开展。花先叶开放，3~5 朵簇生于二年生老枝。花梗粗；花瓣猩红色，稀淡红色或白色，倒卵形或近圆形，基部下延成短爪；雄蕊 5~50 枚。果圆形或卵圆形，黄色或带红色。味芳香，萼片脱落。①②③

相近种　**西藏木瓜** ***Chaenomeles thibetica*** T. T. Yu 叶片革质，叶边全缘，中脉与侧脉均微下陷，下面密被褐色绒毛，中脉及侧脉均显著突起。花 3~4 朵簇生④。

chuānbājiǎolián

川八角莲

Dysosma delavayi (Franch.) Hu

科属：小檗科，鬼臼属。

生境：山谷林下、沟边或阴湿处。

花期：4~5 月。

多年生草本。叶 2 枚对生，纸质，盾状，4~5 深裂几达中部，裂片端 3 浅裂，叶缘具齿。伞形花序具 2~6 朵花，着生于叶柄交叉处，有呈簇生状；花梗下弯；花大型，暗紫红色；萼片 6 枚，外轮常早落；瓣 6 枚，紫红色。①②

相近种　**贵州八角莲** ***Dysosma majoensis*** (Gagnep.) M. Hiroe2 叶互生，盾状着生花紫色，萼片不等大③。**八角莲** ***Dysosma versipellis*** (Hance) M. Cheng 茎生叶 2 枚，4~9 掌状浅裂，花深红色，下垂④。

diānhuángjīng

节节高，仙人饭 **滇黄精**

Polygonatum kingianum Collett & Hemsl.

科属：百合科，黄精属。

生境：林下、灌丛、阴湿草坡或生岩石上。

花期：3~5 月。

根状茎近圆柱形或近连珠状，结节有时作不规则菱状。茎顶端攀缘状。t轮生，每轮 3~10 枚，线形、线状披针形或披针形，先端拳卷。花序具~4 朵花，花序梗下垂。花被粉红色；花丝丝状或两侧扁。浆果成熟时红三。①②

相近种 **腋花扭柄花** ***Streptopus simplex*** D. Don 花单生叶腋，下垂；花梗己膝状关节；花被片卵状长圆形，粉红色或白色，具紫色斑点③。**多花黄精** ***olygonatum cyrtonema*** Hua 苞片微小，生于花梗中部以下，或无；花被黄绿色④。

táorqī

桃儿七 鬼臼

Sinopodophyllum hexandrum
(Royle) T. S. Ying

科属：小檗科，桃儿七属。
生境：林下、林缘湿地、灌丛中或草丛中。
花期：5~6 月。

多年生草本。植株高 20~50 厘米。根状茎粗短，节状，多须根。2 枚，薄纸质，非盾状，基部心形，3~5 深裂几达中部，裂片不裂或有 2~3 小裂，裂片先端急尖或渐尖，上面无毛，背面被柔毛，边缘具粗锯齿花大，单生，先叶开放，两性，整齐，粉红色；萼片 6 枚，早萎；花瓣枚，倒卵形或倒卵状长圆形，先端略呈波状。浆果卵圆形，熟时橘红色；种子卵状三角形，红褐色，无肉质假种皮。①②③④

hóngsèmùlián

红色木莲

Manglietia insignis (Wall.) Blume

科属：木兰科，木莲属。
生境：林间。
花期：5~6 月。

易危种。高大乔木。叶革质，长圆形至倒披针形，先端渐尖或尾尖，]2/3 以下渐窄至基部。花芳香，花梗粗；花被片 9~12 枚，外轮 3 枚褐色，]面带红色或紫红色，倒卵状长圆形，外曲，中内轮直立，乳白带粉红色，]卵状匙形，具爪。聚合果鲜时紫红色。①②

相近种　**川滇木莲** ***Manglietia duclouxii*** Finet & Gagnep. 花被片 9 枚，肉质，外]3片红色，内2轮紫红色③。**木莲** ***Manglietia fordiana*** Oliv. 花被片白色，外轮3片，]革质，内 2 轮稍小，肉质④。

xiǎnmàihónghuāhé

显脉红花荷

Rhodoleia henryi Tong

科属：金缕梅科，红花荷属。

生境：山地常绿林。

花期：3~5 月。

易危种。常绿乔木。植株高 15 米。叶革质，卵状椭圆形，先端渐尖，基部阔楔形，有明显的三出脉；上面深绿色，有光泽；下面黄绿色，无毛侧脉约 6 对；网脉在上面稍下陷，在下面显著。头状花序有花 5 朵；苞片多数，大小不等，下部的较小，上部的较大，外侧有锈褐色长绒毛；萼筒极短，先端平截，不具萼齿；花瓣 2~5 枚，匙形，深红色；雄蕊 7~9 枚与花瓣等长。①②③④

róumáochǐyèshuìlián

柔毛齿叶睡莲

Nymphaea lotus var. ***pubescens***

(Willd.) Hook. f. & Thomson

科属：睡莲科，睡莲属。

生境：在低山池塘中。

花期：8~10 月。

多年生水生草本。叶纸质，卵状圆形，基部具深弯缺，裂片圆钝，近平行，缘有弯缺三角状锐齿，下面带红色。花直径2~8厘米；花梗略和叶柄等长；片矩圆形；花瓣 12~14 枚，白色、红色或粉红色，矩圆形，先端圆钝，5 纵条纹；雄蕊花药先端不延长，外轮花瓣状，内轮不孕，花丝扩大。果为凹下的卵形，具部分宿存雄蕊。①②③

相近种　**睡莲** ***Nymphaea tetragona*** Georgi 叶纸质，心状卵形或卵状椭圆形，缘，下面带红色或紫色。花瓣 8~17 枚，白色④。

diānshānchá

滇山茶

Camellia reticulata Lindl.

科属：山茶科，山茶属。

生境：山区阳坡。

花期：11月下旬至翌年3月。

易危种。乔木。叶椭圆形，先端尾尖，基部楔形或圆，具细锯齿。红色，顶生。花无梗；苞片及萼片10~11枚，组成杯状苞被；花瓣6~7枚倒卵圆形，最外1片似萼片，先端圆或微凹，基部连合。蒴果扁圆形，爿裂。①②

相近种 **怒江红山茶** ***Camellia saluenensis*** Stapf ex Bean 花红色或白色，苞片萼片8枚，花瓣先端凹缺或圆③。**五柱滇山茶** ***Camellia yunnanensis*** (Pit. ex Diel Cohen-Stuart 花白色，苞片及萼片8~9枚，脱落；花瓣8~12枚，基部稍连合④。

zhōnghuāchuítóujú

钟花垂头菊

Cremanthodium campanulatum

Diels

科属：菊科，垂头菊属。
生境：林地、灌丛、草坡、草甸及流石滩。
花期：5~9 月。

多年生草本。丛生叶和莲基部叶肾形，边缘有浅圆齿，齿端有骨质小
头或浅裂，下面紫色；上部叶卵形或披针形，边缘具尖齿，无鞘。头状
序单生，盘状；总苞钟形，总苞片 10~14 枚，2 层，淡紫红色或紫红色，
瓣状，倒卵状长圆形或宽椭圆形，近全缘。小花多数，全部管状，紫红色。
②③

相近种　叉舌垂头菊 ***Cremanthodium thomsonii*** C. B. Clarke 头状花序单生，辐
状。舌状花黄色，舌片宽倒披针形或楔形；管状花多数，黄色④。

chuíxùmùlán

垂序木蓝

Indigofera pendula Franch.

科属：豆科，木蓝属。

生境：山地、沟边及路旁的灌丛中及林缘。

花期：6~8 月。

灌木。羽状复叶，叶轴上面有槽，被丁字毛；托叶披针形，早落，小叶 6~13 对，对生，通常椭圆形或长圆形，顶生小叶倒卵形，先端圆钝或微凹，基部楔形至阔楔形或圆形；小托叶钻形。总状花序长达 35 厘米，下垂；花萼杯状，外面有丁字毛；花冠紫红色，旗瓣长圆形。荚果褐色，圆柱形。①②③

相近种　**木蓝** ***Indigofera tinctoria*** L. 花萼钟状，萼齿三角形，与萼筒近等长；花冠红色，旗瓣宽倒卵形，翼瓣略短，龙骨瓣与旗瓣等长④。

diānshuǐjīnfèng

金凤花，水凤仙花 **滇水金凤**

Impatiens uliginosa Franch.

科属：凤仙花科，凤仙花属。

生境：林下、水沟边潮湿处或溪边。

花期：7~8 月。

近危种。一年生草本。叶互生，膜质，披针形，顶端渐尖，基部狭成极短柄，边缘具齿。总花梗多生于上部叶腋，近伞房状排列，短于叶，具~5 朵花；花梗细，基部有苞片。花红色，侧生萼片 2 枚，斜卵圆形，顶端渐尖。旗瓣圆形，背面中肋增厚，具龙骨状突起；翼瓣短，无柄。①②

相近种 **耳叶凤仙花** *Impatiens delavayi* Franch. 花序具 1~5 朵花，花淡紫红色或污黄色③。**山地凤仙花** *Impatiens monticola* Hook. f. 总花梗长于叶柄，具 2 朵花，花浅黄色④。

xiānghuājīxuěténg

香花鸡血藤 山鸡血藤

Callerya dielsiana

(Harms) P. K. Loc ex Z. Wei & Pedley

科属：豆科，鸡血藤属。

生境：山坡杂木林与灌丛中谷地、溪沟。

花期：5~9 月。

攀缘灌木。羽状复叶，小叶 5 枚，纸质，披针形至窄长圆形，先端尖至渐尖，偶有钝圆，基部钝，偶有近心形。圆锥花序顶生，宽大，分伸展，盛花时成扇状开展并下垂；花单生，花萼宽钟形，被细柔毛；花紫红色，旗瓣密被绢毛，基部无胼胝体。荚果长圆形，扁平。①②③

相近种　网络鸡血藤 ***Callerya reticulata*** (Benth.) Schot 花单生，花萼宽钟形，萼齿短钝，边缘有黄色绢毛；花冠紫红色，旗瓣卵状长圆形，翼瓣和龙骨瓣长于旗瓣④。

bànbiānlián

半边莲

急解索，细米草

Lobelia chinensis Lour.

科属：桔梗科，半边莲属。
生境：水田边、沟边及潮湿草地上。
花期：5~10月。

多年生草本。叶互生，近无柄，椭圆状披针形或线形，先端急尖，基
圆或宽楔形，全缘或顶部有明显的锯齿。花通常1朵，生分枝的上部叶腋；
萼筒倒长锥状，基部渐细而与花梗无明显区分，裂片披针形；花冠粉红
或白色，裂至基部，裂片全部平展于下方，2侧裂片披针形，较长，中
3枚裂片椭圆状披针形，较短。①②③

相近种 西南山梗菜 ***Lobelia seguinii*** H. Lév. & Vaniot 花冠紫红色、紫蓝色或
蓝色，上唇裂片长线形，下唇裂片披针形，长约为花冠长的一半④。

xiǎnbāomángmáojùtái

显苞芒毛苣苔

Aeschynanthus bracteatus Wall. ex A. DC.

科属：苦苣苔科，芒毛苣苔属。

生境：山谷林中树上。

花期：6~10 月。

附生小灌木。叶对生，窄卵形至宽披针形，全缘。花序生分枝上部腋，有 3~7 朵花；苞片红色，宽披针形或卵形。花萼红色，5 裂至基部，裂片披针状线形；花冠红色，下唇与上唇近等长，裂片窄卵形；雄蕊伸出雌蕊线形。①②③

相近种　黄杨叶芒毛苣苔 ***Aeschynanthus buxifolius*** Hemsl. 花单生于枝上部腋，花冠紫红色，下唇有深红色条纹④。

yúnnánnǐdānxìngmùlán

黑心绿豆

云南拟单性木兰

Parakmeria yunnanensis Hu

科属：木兰科，拟单性木兰属。

生境：山谷密林中。

花期：5月。

易危种。常绿乔木。高达30米。叶薄革质，卵状长圆形或卵状椭圆形，端短渐尖或渐尖，基部宽楔形或近圆，上面绿色，下面淡绿色，幼叶紫色。雄花两性花异株，芳香；雄花花被片12枚，4轮；雄蕊约30枚，丝红色，花托顶端圆；两性花花被片与雄花同，雄蕊极少，雌蕊群卵圆形，色，聚合果长圆状卵圆形；蓇葖菱形，背缝开裂。种子扁，外种皮红色。

②③④

shūmàojuǎnbànlán

梳帽卷瓣兰

Bulbophyllum andersonii (Hook. f.) J. J. Sm.

科属：兰科，石豆兰属。

生境：山地林中树干上或林下岩石上。

花期：2 月或 10 月。

附生草本。假鳞茎生于根状茎上，顶生 1 叶。叶长圆形，先端凹缺，花葶黄绿色带紫红色条斑，生于假鳞茎基部，伞形花序具数花。花白色被紫红色斑点；中萼片卵状长圆形，边缘紫红色，上部具齿；花瓣长圆或稍镰状长圆形，先端具芒，边缘紫红色、篦齿状或具不整齐齿，唇瓣紫色，卵状三角形，外弯，上面具白色条带。①②③

相近种　**齿瓣石豆兰** ***Bulbophyllum levinei*** Schltr. 花序伞状，具 3~6 朵花，黄绿带棕红色条纹，花瓣卵形，侧萼片披针形，先端尾状④。

duōxióngruǐshānglù

多蕊商陆 多雄蕊商陆

Phytolacca polyandra Batalin

科属：商陆科，商陆属。
生境：山坡林下、山沟、河边、路旁。
花期：5~8 月。

草本。叶片椭圆状披针形或椭圆形，顶端急尖或渐尖，具腺体状的短头，基部楔形，渐狭，两面无毛。总状花序顶生或与叶对生，圆柱状，立；花两性；花被片 5 枚，开花时白色，以后变红色，长圆形；雄蕊 ~16 枚，两轮着生，花丝基部变宽，花药白色。浆果扁圆形。①②③

相近种　垂序商陆 ***Phytolacca americana*** L. 总状花序顶生或与叶对生，纤细，较稀少。花白色，微带红晕；花被片 5 枚，雄蕊、心皮及花柱均为 10 枚④。

gāosuìhuābàochūn

高穗花报春

Primula vialii Delavay ex Franch.

科属：报春花科，报春花属。

生境：湿草地和沟谷水边。

花期：7 月。

多年生草本。叶丛生，叶柄显著；叶窄长圆形或倒披针形，先端钝圆，基部渐窄，具齿。花葶近顶端微被粉；穗状花序顶生，初尖塔状，后伸长成筒状；苞片线状披针形。花无梗，多少两侧对称，初深红色，后渐淡红色，分裂至中部以下，裂片卵形或卵状披针形；花冠紫红色，裂片卵形或椭圆形，先端锐尖。蒴果圆形，稍短于花萼。①②③

相近种　**穗花报春** ***Primula deflexa*** Duthie 花序短穗状；花萼壶状，分裂略过中部，裂片卵圆形；花冠蓝紫色或玫瑰紫色，先端具凹缺④。

kuòyèshānmàidōng

阔叶山麦冬

Liriope muscari (Decne.) L. H. Bailey

科属：百合科，山麦冬属。
生境：山地、山谷的疏、密林下或潮湿处。
花期：7~8 月。

多年生草本。分枝多，有时具纺锤形小块根。叶密集，革质，基部渐窄。花葶长达 1 米；总状花序具多花，花 3~8 朵簇生苞片腋内，苞片近刚毛状，小苞片卵形，干膜质。花梗关节生于中部或中部偏上；花被片长圆状披针形或近长圆形，紫色或红紫色，花药近长圆状披针形；子房近圆形，柱头齿裂。种子圆形，初绿色，熟时黑紫色。①②③

相近种 **吉祥草** ***Reineckea carnea*** (Andrews) Kunth 穗状花序，上部花有时为单生雄花，花芳香，粉红色，花被片合生，上部 6 裂，裂片长圆形④。

yīnggēhuā

鹦哥花

Erythrina arborescens Roxb.

科属：豆科，刺桐属。
生境：山沟中或草坡上。
花期：7~9 月。

乔木或小乔木。树干和枝条具皮刺。羽状复叶具 3 小叶，小叶全缘。总状花序生于上部叶腋，长于叶，具多数密集而下垂的花；苞片卵形，内有 3 朵花。花萼钟状，先端平截或具不等的 2 裂；花冠红色，旗瓣长卵形舟状，翼瓣斜卵形，长仅为旗瓣的 1/4，龙骨瓣菱形，长于翼瓣，均具短瓣柄。荚果镰形。①②③

相近种　**劲直刺桐** ***Erythrina stricta*** Roxb. 总状花序花 3 朵一束，鲜红色，多数密集；花萼佛焰苞状，不分裂或先端稍 2 裂；旗瓣椭圆状披针形，直立④。

yuánsuìliǎo

圆穗蓼

Polygonum macrophyllum D. Don

科属：蓼科，蓼属。
生境：山坡草地、高山草甸。
花期：7~8 月。

多年生草本。基生叶长圆形或披针形，先端尖，基部圆或近心形，边缘脉端增厚，外卷，具长叶柄；茎生叶窄披针形，叶柄短或近无柄；托叶鞘下部绿色，上部褐色，偏斜。穗状花序，苞片膜质，卵形。花被 5 深裂，淡红色或白色，花被片椭圆形；雄蕊 8 枚，较花被长；花柱 3 个。①②

相近种　**两栖蓼** ***Polygonum amphibium*** L. 茎分枝，无基生叶；托叶鞘顶端截形，具缘毛③。**头花蓼** ***Polygonum capitatum*** Buch.-Ham. ex D. Don 花序头状，花被 5 深裂，淡红色④。

yuányèjiéjiécài

圆叶节节菜 豆瓣菜，指甲叶

Rotala rotundifolia

(Buch.-Ham. ex Roxb.) Koehne

科属：千屈菜科，节节菜属。

生境：水田或潮湿处。

花期：12 月至翌年 6 月。

一年生草本。叶对生，无柄或具短柄，近圆形、阔倒卵形或阔椭圆形
顶端圆形，基部钝形，或无柄时近心形。花单生于苞片内，组成顶生稠
的穗状花序，花序每株 1~3 个，有时 5~7 个；花极小，几无梗；苞片
状，卵形或卵状矩圆形，约与花等长，小苞片 2 枚，披针形或钻形，
与萼筒等长；萼筒阔钟形，膜质，半透明；花瓣 4 枚，倒卵形，淡紫红色
蒴果椭圆形，3~4 瓣裂。①②③④

yùjīn

郁金

Curcuma aromatica Salisb.

科属：姜科，姜黄属。
生境：栽培或野生于林下。
花期：4~5 月。

多年生草本。叶基生，长圆形，基部渐窄；叶柄与叶片近等长。花葶单独由根茎抽出，与叶同时发出或先叶而出；穗状花序圆柱形，有花的苞片淡绿色，卵形；花冠管漏斗形，裂片长圆形，白色带粉红色，后方的 1 片较大，先端具小尖头；侧生退化雄蕊淡黄色；唇瓣黄色，倒卵形。①②

相近种　**姜黄** ***Curcuma longa*** L. 花葶由顶部叶鞘内抽出，秋季开花，花萼白色，花冠淡黄色③。**莪术** ***Curcuma phaeocaulis*** Valeton 穗状花序阔椭圆形，苞片下部的绿色，顶端红色，上部的较长，呈紫色④。

yánbáicài

岩白菜 滇岩白菜，岩七

Bergenia purpurascens

(Hook. f. & Thomson) Engl.

科属：虎耳草科，岩白菜属。

生境：林下、灌丛、高山草甸和碎石隙。

花期：5~10 月。

多年生草本。植株高达 52 厘米。叶倒卵形、窄倒卵形或近椭圆形，稀宽倒卵形或近长圆形，先端钝圆，边缘具波状齿或近全缘，基部楔形，两面具小腺窝，无毛；托叶鞘无毛。花葶疏生腺毛；聚伞花序圆锥状。花梗与花序分枝均密被长柄腺毛；托杯被长柄腺毛；萼片革质，近窄卵形，上面和边缘无毛，下面密被长柄腺毛；花瓣紫红色，宽卵形，先端钝，基部变窄成爪，多脉；子房卵圆形。①②③④

bàozhànghuā

密通花

爆杖花

Rhododendron spinuliferum Franch.

科属：杜鹃花科，杜鹃属。
生境：针叶或针阔混交林或山谷灌木林。
花期：2~6月。

常绿灌木。叶散生，坚纸质，椭圆状倒披针形或倒披针形，先端具短尖头。伞形花序生枝顶叶腋，有2~4朵花。花萼浅杯状；花冠朱红色或橙红色，筒状，两端稍窄缩，裂片约为冠筒长1/2，卵形，直立。蒴果长椭圆形。①②

相近种　**红马银花** ***Rhododendron vialii*** Delavay & Franch. 花单生枝顶叶腋；花萼深红色，5裂，花冠漏斗形深红色，5裂③。**碎米花** ***Rhododendron spiciferum*** Franch. 花序短总状，有花3~4朵；花冠漏斗状，粉红色④。

chòumǔdān

臭牡丹

Clerodendrum bungei Steud.

科属：马鞭草科，大青属。

生境：山坡、林缘、沟谷、灌丛湿润处。

花期：3~11 月。

灌木。叶宽卵形或卵形，先端尖，基部宽楔形、平截或心形，具锯齿具长叶柄。伞房状聚伞花序密集成头状；苞片披针形；花萼裂片三角形；花冠淡红色或紫红色，冠筒裂片倒卵形。核果蓝黑色。①②

相近种　**赪桐** ***Clerodendrum japonicum*** (Thunb.) Sweet 圆锥状二歧聚伞花序。花萼红色，花冠红色，稀白色，裂片长圆形③。**垂茉莉** ***Clerodendrum wallich*** Merr. 圆锥状聚伞花序下垂，花序梗及花序轴四棱或翅状，苞片钻形。花萼裂果时鲜红色或紫红色，花冠白色④。

dàhuāhóngjǐngtiān

宽叶景天，圆景天 **大花红景天**

Rhodiola crenulata

(Hook. f. & Thomson) H. Ohba

科属：景天科，红景天属。

生境：山坡草地、灌丛中、石缝中。

花期：6~7 月。

濒危种。多年生草本。不育枝直立，顶端密生叶，叶宽倒卵形。花茎

，直立或扇状排列，稻秆色或红色。花序伞房状，多花，有苞片。花大，

长梗，雌雄异株；雄花花萼、花瓣 5 枚，红色，倒披针形；雌花蓇葖 5

，直立，花枝短，干后红色。①②

相近种 云南红景天 ***Rhodiola yunnanensis*** (Franch.) S. H. Fu 心皮直立，先端反

③。小丛红景天 ***Rhodiola dumulosa*** (Franch.) S. H. Fu 一年生茎多数，叶常全缘④。

mǎlìjīn

马利筋

Asclepias curassavica L.

科属：萝藦科，马利筋属。

生境：栽培并归化。

花期：全年。

①

②

③

④

多年生草本。高达 1 米。叶对生，膜质，披针形或长圆状披针形，端渐尖，基部延至叶柄，两面无毛或下面脉被微毛，侧脉 8~10 对；叶长约 1 厘米。聚伞花序与叶近等长，具 8~20 朵花；花序梗被柔毛。花被柔毛；花萼裂片披针形，被柔毛；花冠紫色或红色，裂片长圆形，5~8 毫米；副花冠裂片黄色或橙色，匙形；花粉块长圆形，下垂，着粉紫红色。蓇葖果纺锤形。①②③④

ruìxiāng

千里香，瑞兰 # 瑞香

Daphne odora Thunb.

科属：瑞香科，瑞香属。

生境：广泛栽培。

花期：3~5 月。

常绿直立灌木。小枝紫红色或紫褐色。叶互生，纸质，长卵形或长圆形，端钝，基部楔形，全缘。头状花序顶生，多花；苞片披针形或卵状披针形。外面淡紫红色，内面肉红色，萼筒壶状；裂片 4 枚，与萼筒等长。果红色。②

相近种　**橙花瑞香** ***Daphne aurantiaca*** Diels 花 2~5 朵簇生枝顶或部分腋生，橙黄色，芳香，萼筒漏斗状圆筒形③。**狼毒** ***Stellera chamaejasme*** L. 头状花序顶，具绿色叶状苞片，花黄色、白色或下部带紫色，芳香，萼筒纤细④。

shísuàn

石蒜 龙爪花，蟑螂花

Lycoris radiata (L'Hér.) Herb.

科属：石蒜科，石蒜属。

生境：河谷、沟边阴湿石缝中，或栽培。

花期：8~9 月。

多年生草本。鳞茎近圆形。叶深绿色，秋季出叶，窄带状，先端钝中脉具粉绿色带。花茎高约 30 厘米，顶生伞形花序有 4~7 朵花；总苞 2 枚，披针形。花两侧对称，鲜红色，花被筒绿色；花被裂片窄倒披针形外弯，边缘皱波状；雄蕊伸出花被，比花被长约 1 倍。①②③

相近种 忽地笑 ***Lycoris aurea*** (L'Hér.) Herb. 花两侧对称，黄色，花被裂片面中脉具淡绿色带，边缘波状皱缩；雄蕊稍伸出花被，比花被长约 1/6 ④。

diānzǐcǎo

滇紫草

Onosma paniculatum Bureau & Franch.

科属：紫草科，滇紫草属。
生境：干燥山坡及松栎林林缘。
花期：6~9 月。

易危种。二年生草本。高达 1 米。基生叶及下部茎生叶线状披针形或
针形，先端渐尖，基部渐窄成短柄；中上部叶较小，基部稍抱茎，无柄。
伞圆锥花序顶生。花萼长约 8 毫米，果时稍增大；花冠筒状，蓝紫色
暗红色，冠檐裂片三角形，常反卷，密被短伏毛，内面沿裂片中脉被毛；
蕊生于花冠筒中部稍下，花药靠合，花药筒内藏或顶端稍伸出，花丝被
，花柱下部被毛；腺体被柔毛。小坚果具疣状突起。①②③④

xiùqiú

绣球 八仙花，粉团花

Hydrangea macrophylla (Thunb.) Ser.

科属：虎耳草科，绣球属。

生境：山谷溪旁或山顶疏林中。

花期：6~8 月。

灌木。树冠圆形。叶倒卵形或宽椭圆形，先端骤尖，具短尖头，基钝圆或宽楔形，具粗齿；叶柄粗。伞房状聚伞花序近圆形或头状，分枝粗近等长，花密集。不育花多数，萼片 4 枚，宽倒卵形、卵形或近圆形粉红色、淡蓝色或白色；孕性花极少，萼筒倒圆锥状。①②

相近种 **马桑绣球** ***Hydrangea aspera*** D. Don 子房完全下位，蒴果顶端截平③**大果绣球** ***Hydrangea macrocarpa*** Hand.-Mazz. 蒴果顶端突出部分圆锥形，花瓣分离基部截平，种子两端具长翅，雄蕊不等长④。

piānchìtángsōngcǎo

马尾黄连 **偏翅唐松草**

Thalictrum delavayi Franch.

科属：毛茛科，唐松草属。

生境：山地林边、沟边、灌丛或疏林中。

花期：6~9 月。

茎下部及中部叶为三至四回三出复叶；小叶草质，圆卵形、倒卵形或圆形，3 浅裂或不分裂；具长叶柄。圆锥花序；萼片 4~5 枚，紫色，长圆形至卵形，先端尖或微钝；雄蕊多数，花丝丝状，花药具极小尖头；皮 15~22 枚，具短柄，花柱短，腹面具柱头。瘦果扁，斜倒卵圆形，围具窄翅。①②③

相近种 **瓣蕊唐松草** ***Thalictrum petaloideum*** L. 花序伞房状，具多花或少花。片 4 枚，白色，早落，卵形；雄蕊多数，花丝上部倒披针形，下部丝状④。

báiyīng

白英 白英，蔓茄，山甜菜

Solanum lyratum Thunb.

科属：茄科，茄属。
生境：喜生于山谷草地或路旁、田边。
花期：6~10 月。

草质藤本。叶互生，多数为琴形，基部常 3~5 深裂，裂片全缘；具叶柄
聚伞花序顶生或腋外生，疏花，花梗顶端稍膨大，基部具关节；萼环状
萼齿 5 枚，圆形，顶端具短尖头；花冠蓝紫色或白色，花冠筒隐于萼内，
冠檐 5 深裂，裂片椭圆状披针形；子房卵形，花柱丝状。浆果球状，
熟时红黑色；种子近盘状，扁平。①②③④

diānběiqiúhuābàochūn

滇北球花报春

Primula denticulata **subsp.** ***sinodenticulata*** (Balf. f. & Forrest) W. W. Sm.

科属：报春花科，报春花属。

生境：山坡草地和灌丛中。

花期：3~4月。

多年生草本。叶密丛生，矩圆形至倒披针形，基部渐狭，边缘具齿。花葶通常较粗壮，长达叶片的 6 倍以上；花序近头状，花直立；苞片多数，边缘互相覆盖；花萼狭钟状，常染紫色；花冠蓝紫色或紫红色，少白色，冠筒口周围黄色。①②

相近种 **紫花雪山报春** ***Primula chionantha*** Balf. f. & Forrest 花葶粗壮，伞形花序 1~4 轮，花冠紫蓝色或淡蓝色，稀白色③。**球花报春** ***Primula denticulata*** Sm. 花葶通常较纤细，长在叶丛的 6 倍以内，花冠亦稍小④。

níbóěrlǎoguàncǎo

尼泊尔老鹳草 五叶草

Geranium nepalense Sweet

科属：牻牛儿苗科，老鹳草属。

生境：林缘、灌丛、荒山草坡等处。

花期：4~9 月。

多年生草本。茎仰卧。叶对生，五角状肾形，基部心形，掌状 5 深裂，裂片菱形或菱状卵形，先端钝圆。花序梗纤细，多每梗 2 朵花。萼片卵状披针形，花瓣紫红色，倒卵形，等于或稍长于萼片，先端平截或圆，基部楔形；花柱不明显。蒴果果瓣被长柔毛，喙被短柔毛。①②

相近种 **湖北老鹳草** ***Geranium rosthornii*** R. Knuth 花大，直径 10 毫米以上，花瓣不反折③。**反瓣老鹳草** ***Geranium refractum*** Edgew. & Hook. f. 花瓣向后反折④。

nǐlóudǒucài

益母宁精 **拟耧斗菜**

Paraquilegia microphylla

(Royle) J. R. Drumm. & Hutch.

科属：毛茛科，拟耧斗菜属。

生境：高山山地石壁或岩石上。

花期：6~8 月。

多年生草本。叶多数，二回三出复叶，叶三角状卵形，生小叶宽菱形肾状宽菱形，3 深裂，每裂片再 2~3 细裂；叶柄细。花葶直立；苞片 2，对生或互生，倒披针形，基部具膜质鞘。萼片淡堇或淡紫红色，近倒卵形，先端微圆；花瓣倒卵形或倒卵状长椭圆形，先端微凹，下部浅囊状；蕊多数；心皮 5~8 枚。①②③

相近种　无距耧斗菜 ***Aquilegia ecalcarata*** Maxim. 花序具 2~3 朵花，萼片紫色，瓣瓣片长状椭圆形，与萼片近等长，心皮 4~5 枚④。

xīnánfēnglíngcǎo

西南风铃草 土沙参，岩兰花

Campanula pallida Wall.

科属：桔梗科，风铃草属。

生境：山坡草地和疏林下。

花期：5~9 月。

多年生草本。下部叶有带翅的柄，上部的无柄，椭圆形至长圆形。下垂，顶生于主茎及分枝上，有时组成聚伞花序；花萼筒部倒圆锥状；冠紫色、蓝紫色或蓝色，管状钟形，分裂达 1/3~1/2；花柱藏于花冠筒内①②

相近种　**流石风铃草** ***Campanula crenulata*** Franch. 花单朵顶生；花冠蓝色蓝紫色或深紫红色，钟状，分裂达 1/3 ③。**喜马拉雅沙参** ***Adenophora himalaya*** Feer 萼筒倒圆锥状或倒卵状圆锥形，花冠蓝色或蓝紫色，钟状，花柱通常稍出花冠④。

yěmǔdān

野牡丹

老虎杆，毡帽泡花

Melastoma malabathricum L.

科属：野牡丹科，野牡丹属。
生境：山坡灌草丛或疏林。
花期：春至夏初。

灌木。茎钝四棱形或近圆柱形。叶卵形、椭圆形或椭圆状披针形，先端渐尖，基部圆或近心形，全缘，基出脉 5 条。伞房花序生枝顶，具 3~7 朵花，叶状总苞片 2 枚；苞片披针形或钻形。花萼裂片 5 枚，披针形，与萼管等长；花瓣紫红色，倒卵形。蒴果坛状圆形，顶端平，宿存花萼与果贴生。①②③

相近种　**地菍** ***Melastoma dodecandrum*** Lour. 匍匐小灌木；叶片卵形或椭圆形；花瓣淡紫红色至紫红色，菱状倒卵形；雄蕊 10 枚，5 长 5 短④。

bǎoxīngbǎihé

宝兴百合

Lilium duchartrei Franch.

科属：百合科，百合属。

生境：高山草地、林缘或灌木丛中。

花期：7月。

草本。叶散生，披针形或长圆状披针形。花单生或多朵成总状或近伞房花序；苞片叶状，披针形。花下垂，芳香，白色，有紫红色斑点；花被片反卷；花柱长为子房2倍或更长，柱头膨大。蒴果椭圆形。①②③

相近种　尖被百合 ***Lilium lophophorum*** (Bureau & Franch.) Franch. 花常单生，稀2~3朵，下垂。花黄色、淡黄色或淡黄绿色，疏生紫红色斑点或无斑点；花被片披针形或窄卵状披针形④。

duǎntíngfēipéng

灯盏花，灯盏细辛

短莛飞蓬

Erigeron breviscapus

(Vaniot) Hand.-Mazz.

科属：菊科，飞蓬属。

生境：开阔山坡、草地或林缘。

花期：3~10 月。

多年生草本。基生叶莲座状，倒卵状披针形或宽匙形，全缘；茎生叶数，窄长圆状披针形或窄披针形，基部半抱茎，无柄；上部叶线形。头花序，单生茎或分枝顶端；总苞半圆形，总苞片 3 层，线状披针形，绿色，上部紫红色。外围雌花舌状，舌片蓝色或粉紫色；中央两性花管状，黄色。②③

相近种　**一年蓬** ***Erigeron annuus*** (L.) Pers. 头状花序数个或多数，排成疏圆锥序；外围雌花舌状，舌片平展，白色或淡天蓝色；中央两性花管状，黄色④。

qiūyīng

秋英 波斯菊，大波斯菊

Cosmos bipinnatus Cav.

科属：菊科，秋英属。

生境：栽培或逸生于路旁、田埂、溪岸。

花期：6~8 月。

一年生或多年生草本。高达 2 米。茎无毛或稍被柔毛。叶二回羽状深裂。头状花序单生，径 3~6 厘米，花序梗长 6~18 厘米；总苞片外层披针形或线状披针形，近革质，淡绿色，具深紫色条纹，内层椭圆状卵形，膜质。舌状花紫红色、粉红色或白色，舌片椭圆状倒卵形；管状花黄色，管部短，上部圆柱形，有披针状裂片。①②③④

xīngzhuàngxuětùzi

星状雪兔子

Saussurea stella Maxim.

科属：菊科，风毛菊属。

生境：灌丛草地、河边或沼泽、河滩地。

花期：7~9 月。

无茎莲座状草本。叶莲座状，星状排列，线状披针形，无柄，中部以长渐尖，向基部常卵状扩大，边缘全缘，两面同色，紫红色或近基部紫色，或绿色。头状花序无小花梗，多数，在莲座状叶丛中密集成半圆形总花序。总苞圆柱形；总苞片 5 层，覆瓦状排列；小花紫色。瘦果圆柱状。②③

相近种 **杨叶风毛菊** ***Saussurea populifolia*** Hemsl. 头状花序单生茎端或茎生 2 状花序；总苞宽钟形，总苞片 5~7 层，带紫色。小花紫色④。

jì

蓟 大蓟，地萝卜

Cirsium japonicum DC.

科属：菊科，蓟属。

生境：林地、灌丛、草地、荒地或溪旁。

花期：4~11 月。

多年生草本。叶卵形至长椭圆形，基部向上的茎生叶渐小，羽状深裂或几全裂，基部渐窄成翼柄，边缘有针刺及刺齿。头状花序直立，顶生；总苞钟状，约 6 层，覆瓦状排列。小花红色或紫色。瘦果扁，偏斜楔倒披针状，冠毛浅褐色。①②③

相近种　贡山蓟 ***Cirsium eriophoroides*** (Hook. f.) Petr. 头状花序排成伞房状花序总苞球形，被棉毛，苞叶线形或披针形，边缘有长针刺，总苞片近 6 层，镊状排列④。

hánxiūcǎo

含羞草

怕丑草，知羞草

Mimosa pudica L.

科属：豆科，含羞草属。
生境：旷野荒地、灌木丛中，或栽培。
花期：3~10月。

披散、亚灌木状草本。高达1米。茎圆柱状，具分枝，有散生、下垂钩刺及倒生刺毛。羽片和小叶触之即闭合而下垂；羽片通常2对，指状列于总叶柄顶端；小叶10~20对，线状长圆形，先端急尖，边缘具刚毛。状花序圆球形，径约1厘米，具长花序梗，单生或2~3朵生于叶腋；花小，红色，多数；花冠钟状，裂片4枚，外面被短柔毛；雄蕊4枚，伸出花冠。果长圆形，扁平，稍弯曲，荚缘波状，被刺毛。①②③④

chángchūnyóumáténg

常春油麻藤

Mucuna sempervirens Hemsl.

科属：豆科，黧豆属。

生境：亚热带森林，灌木丛，溪谷，河边。

花期：4~5 月。

常绿木质藤本。羽状复叶具 3 枚小叶；顶生小叶椭圆形至长圆形，端渐尖，基部近楔形，两面无毛，侧生小叶极偏斜；小叶柄膨大。总状序生于老茎上，每节具 3 花，有臭味。花萼杯状；花冠深紫色，旗瓣圆形先端深凹。荚果带形，木质。①②③

相近种 **白花油麻藤** ***Mucuna birdwoodiana*** Tutcher 总状花序生于老茎上或生；花冠白色或绿白色④。

guǎngbùxiǎohóngménlán

库莎红门兰 # 广布小红门兰

Ponerorchis chusua (D. Don) Soo

科属：兰科，小红门兰属。
生境：林地、灌丛、草地或高山草甸中。
花期：6~8 月。

地生草本。茎直立，具 2~3 枚叶，长圆状披针形至线形，上面无紫斑，端尖或渐尖，基部鞘状抱茎。花序具 1~20 余朵花，多偏向一侧。花紫色或粉红色；中萼片直立，舟状，与花瓣靠合呈兜状，侧萼片向后反折，卵状披针形；花瓣直立，斜窄卵形至宽卵形，与中萼片靠合呈兜状；唇前伸，3 裂；距圆筒状或圆筒状锥形，常向后斜展或近平展。①②③

相近种 **短梗山兰** ***Oreorchis erythrochrysea*** Hand.-Mazz. 花序具 10~20 朵花，黄色，唇瓣有栗色斑④。

guǎngbùyěwāndòu

广布野豌豆 草藤，落豆秧

Vicia cracca L.

科属：豆科，野豌豆属。

生境：草甸、山坡、河滩草地或灌丛。

花期：5~9 月。

多年生草质藤本。偶数羽状复叶，叶轴顶端卷须 2~3 分支；托叶半箭头形或戟形，上部 2 深裂；小叶 5~12 对，互生，线形至长圆形，全缘。总状花序与叶轴近等长，密集 10~40 朵花；花萼钟状，萼齿 5 枚；花冠紫色、蓝紫色或紫红色，旗瓣长圆形，中部两侧缢缩呈提琴形，翼瓣与旗瓣近等长，明显长于龙骨瓣。①②③

相近种 **救荒野豌豆** ***Vicia sativa*** L. 花 1~2 朵腋生，紫红色或红色，旗瓣微凹④。

guǎnhuāmǎxiānhāo

管花马先蒿

Pedicularis siphonantha D. Don

科属：玄参科，马先蒿属。

生境：高山湿草地中。

花期：6~7 月。

多年生草本。叶基出与茎生，均有长柄，两侧有明显的膜质翅，披针
长圆形至线状长圆形，羽状全裂。花全部腋生，在主茎上常直达基部而
密，在侧茎上则下部之花很疏远而使茎裸露；花冠玫瑰红色。①②

相近种 **管状长花马先蒿** ***Pedicularis longiflora*** var. ***tubiformis*** (Klotzsch) Tsoong
黄色，并在下唇近喉处有棕红色的斑点两个③。**蒙氏马先蒿** ***Pedicularis***
onbeigiana Bonati 总状花序顶生，多花，上部较密集；花冠色多变，白色至紫
色④。

húběizǐjīng

湖北紫荆 箩筐树，乌桑树

Cercis glabra Pamp.

科属：豆科，紫荆属。
生境：山谷、路边、岩石上或林中。
花期：3~4 月。

乔木。叶心形或三角状圆形，两侧对称，先端钝或急尖，基部浅心或深心形。总状花序短，有花数至十余朵；花淡紫红色或粉红色，先叶与叶同时开放。荚果窄长圆形，紫红色，具窄翅。①②③

相近种 紫荆 *Cercis chinensis* Bunge 花紫红色或粉红色，2~10 余朵成束，生于老枝和主干上，常先叶开放，幼嫩枝上的花叶同放。荚果绿色④。

zǐ è
紫萼

Hosta ventricosa (Salisb.) Stearn

科属：百合科，玉簪属。
生境：林下、草坡或路旁。
花期：6~9 月。

草本。叶卵状心形、卵形至卵圆形，先端通常近短尾状或骤尖，基部心形或近截形，极少叶片基部下延而略呈楔形。花葶高 60~100 厘米，具 0~30 朵花；苞片矩圆状披针形，白色，膜质；花单生，盛开时从花被管向上骤然作近漏斗状扩大，紫红色；雄蕊伸出花被之外，完全离生。蒴果圆柱状，有三棱。①②③

相近种　玉簪 ***Hosta plantaginea*** (Lam.) Asch. 花单生或 2~3 朵簇生，白色，芳香。雄蕊与花被近等长或略短，基部 1.5~2 厘米贴生花被管④。

báijí

白及

Bletilla striata (Thunb.) Rchb. f.

科属：兰科，白及属。

生境：林下、路边草丛或岩石缝中。

花期：4~5 月。

濒危种。地生草本。茎粗壮。叶 4~6 枚，窄长圆形或披针形。总状序顶生，具 3~10 朵花。花紫红色或淡红色；花瓣较萼片稍宽，唇瓣倒状椭圆形，白色带紫红色，唇盘具 5 条纵褶片，从基部伸至中裂片近部，在中部以上 3 裂，中裂片倒卵形或近四方形，先端凹缺，具波状齿。①②③

相近种　**筒瓣兰** ***Anthogonium gracile*** Lindl. 花紫红色；萼片下部合生成窄筒状垂直于子房，上部分离，稍反卷；唇瓣白色带紫红色④。

duōhuāzhǐjiǎlán

多花指甲兰

Aerides rosea Lodd. ex Lindl. & Paxton

科属：兰科，指甲兰属。

生境：山地林缘或山坡疏林中树干上。

花期：7月。

濒危种。叶质厚，窄长圆形，先端不等2裂。花序长25厘米以上，密生多花。花白色带紫色斑点；中萼片近倒卵形，侧萼片稍斜卵形；花瓣与中萼片相似而等大，唇瓣3裂，侧裂片耳状，中裂片近菱形，上面密生紫红色斑点，稍具细齿；距口具先端钩曲线状附属物，距白色，窄倒圆锥形。①②③

相近种　钻喙兰 ***Rhynchostylis retusa*** (L.) Blume 花序下垂，花白色而密布紫色斑点；花瓣狭长圆形，后唇囊状，前唇朝上，中部以上紫色，中部以下白色④。

hǎinánsānqī

海南三七

Kaempferia rotunda L.

科属：姜科，山柰属。

生境：草地阳处或栽培。

花期：4月。

多年生低矮草本。根茎块状，根粗。先叶开花；叶长椭圆形，上面淡绿色中脉两侧深绿色，下面紫色；叶柄短，槽状。头状花序，有4~6朵花，自根茎发出；苞片紫褐色。萼管一侧开裂；花先叶开放，紫色，花冠管与萼管等长，花冠裂片线形，白色，花时平展；侧生退化雄蕊披针形，白色先端尖，直立，稍靠叠；唇瓣蓝紫色，近圆形，2深裂至中部以下成2裂片，裂片先端尖，下垂；药隔附属体2裂，呈鱼尾状，直立于药室顶部，边缘具不整齐缺刻，顶端尖。①②③④

méiguīshíhú

玫瑰石斛

Dendrobium crepidatum

Lindl. & Paxton

科属：兰科，石斛属。
生境：山地疏林中树干上或山谷岩石上。
花期：3~4 月。

濒危种。附生草本。茎斜下或下垂，节间稍具绿色或白色相间的条纹。叶窄披针形。花序短，生于已落叶的老茎上部，具 1~4 朵花；萼片和花瓣白色，上部带淡紫色；中萼片近椭圆形，侧萼片卵状长圆形，与中萼片近等大，基部歪斜，萼囊近圆形；花瓣宽倒卵形，与萼片等长稍宽，唇瓣上部淡紫色，下部金黄色，近圆形或宽倒卵形。①②

相近种　美花石斛 ***Dendrobium loddigesii*** Rolfe 花白色或淡紫红色③。报春石斛 ***Dendrobium polyanthum*** Wall. ex Lindl. 花淡玫瑰色④。

xīzàngsháolán

西藏杓兰

Cypripedium tibeticum King ex Rolfe

科属：兰科，杓兰属。

生境：林地、灌木坡地、草坡或乱石地上。

花期：5~8 月。

地生草本。叶常 3 枚，椭圆形或宽椭圆形。花序顶生，具 1 朵花。花大，俯垂，紫色、紫红色或暗紫色，常有淡绿黄色斑纹；唇瓣囊口周围有白色或淡色的圈；中萼片椭圆形或卵状椭圆形，合萼片与中萼片相似，略短而窄，先端 2 浅裂；花瓣披针形或长圆状披针形；唇瓣深囊状。①②

相近种 紫点杓兰 *Cypripedium guttatum* Sw. 叶 2 枚，对生或近对生，花较小，白色，具淡紫红色或淡褐红色斑③。斑叶杓兰 *Cypripedium margaritaceum* Franc 花下方无苞片，叶具黑紫色斑点④。

yúnnándúsuànlán

云南独蒜兰

Pleione yunnanensis (Rolfe) Rolfe

科属：兰科，独蒜兰属。

生境：多石地上或苔藓覆盖的岩石等处。

花期：4~5 月。

易危种。附生或地生草本。假鳞茎上端有长颈，绿色，顶端具 1 枚叶。披针形或窄椭圆形，纸质。花葶生于无叶假鳞茎基部，顶端具 1 朵花，2 朵花。花淡紫色至近白色，唇瓣具紫色或深红色斑；中萼片长圆状披针形，侧萼片长圆状披针形，稍斜歪；花瓣倒披针形，展开，唇瓣近倒卵形，3 微裂，中裂片先端微缺，唇瓣具 3~5 个褶片。①②③

相近种　独蒜兰 ***Pleione bulbocodioides*** (Franch.) Rolfe 花葶下部包在圆筒状鞘，花瓣倒披针形，稍歪斜④。

zhúyèlán

竹叶兰

Arundina graminifolia (D. Don) Hochr.

科属：兰科，竹叶兰属。

生境：草坡、溪谷旁、灌丛下或林中。

花期：9~11 月。

地生草本。根状茎在茎基部呈卵圆形，似假鳞茎。茎常数个丛生或片生长，圆柱形，细竹秆状，常为叶鞘所包，具多枚叶。叶线状披针形，薄革质或坚纸质，基部鞘状抱茎。花序具 2~10 朵花，每次开 1 朵花。粉红色或略带紫色或白色；萼片窄椭圆形或窄椭圆状披针形；花瓣椭圆或卵状椭圆形，唇瓣长圆状卵形，3 裂，侧裂片内弯，中裂片近方形，端 2 浅裂或微凹，唇盘有 3~5 枚褶片。蒴果近长圆形。①②③④

gāoshānxiàngyáshēn

高山象牙参

Roscoea alpina Royle

科属：姜科，象牙参属。

生境：松林或杂木林下。

花期：6~8月。

1

2

3

4

多年生草本。茎基部常有2薄膜质鞘。叶常2~3枚，开花时，常未
部张开，长圆状披针形或线状披针形，先端渐尖，基部近圆，无柄。花
朵顶生，紫色，无梗；花萼管顶部2浅裂，膜质；花冠管远长于萼管，
细，后方1枚裂片圆形，具细尖头，直立，两侧裂片线状长圆形，反折；
生退化雄蕊花瓣状，较短，直立。①②③

相近种　早花象牙参 ***Roscoea cautleoides*** Gagnep. 花后叶而出或与叶同出，穗
花序通常有2~5朵花，高举花序于叶丛之上，花黄色、蓝紫色、深紫色或白
④。

jīngōurúyìcǎo

金钩如意草

Corydalis taliensis Franch.

科属：罂粟科，紫堇属。

生境：林下、灌丛下或草丛中。

花期：3~11 月。

无毛草本。基生叶数枚，叶片轮廓近圆形或楔状菱形，二至三回三
全裂。总状花序生于茎和分枝顶端，多花。萼片鳞片状，白色，圆形或
卵形，具流苏状齿缺；花瓣紫色、蓝紫色、红色或粉红色。①②

相近种　**直茎黄堇** ***Corydalis stricta*** Steph. ex Fisch. 总状花序多花，花冠黄色
背部带淡褐色，距短囊状，长约花瓣 1/5 ③。**囊距紫堇** ***Corydalis benecincta*** W.
Sm. 伞房状总状花序，花冠粉红色或淡紫红色，外花瓣顶端暗蓝紫色，具粉
色脉，上花瓣下弯④。

tōnggěnghuā

蓪梗花

Abelia uniflora R. Br.

科属：北极花科，糯米条属。
生境：林缘、草坡、岩石、山谷等处。
花期：4~5月。

落叶灌木或小乔木。叶有时3枚轮生，革质，卵形至披针形，近全缘具2~3对不明显浅圆齿，边缘内卷；叶柄短。具1~2朵花的聚伞花序腋生。筒状，萼檐通常2裂，裂片椭圆形、倒卵形或长圆形；花冠粉红色至紫色，窄钟形，基部具浅囊，花蕾时花冠弯曲。果具2枚稍增大宿存裂片。①②③

相近种　糯米条 *Abelia chinensis* R. Br. 花芳香，具3对长圆形或披针形小苞片，筒圆柱形，花冠白色或红色，漏斗状④。

yìngmáoxiàkūcǎo

硬毛夏枯草

Prunella hispida Benth.

科属：唇形科，夏枯草属。

生境：路旁林缘及山坡草地上。

花期：6月至翌年1月。

草本。叶卵形或卵状披针形，先端尖，基部圆，具浅波状或圆锯齿穗状花序；苞片近心形，先端骤长渐尖。花梗极短；花萼紫色，管状钟形上唇近圆形，下唇齿披针形，具刺尖头；花冠深紫色或蓝紫色。小坚果圆形，背腹稍扁。①②③

相近种　夏枯草 ***Prunella vulgaris*** L. 穗状花序，苞片淡紫色，宽心形，先骤尖，花萼钟形，花冠紫色、红紫色或白色④。

dúyīwèi

打布巴，大巴 **独一味**

Lamiophlomis rotata

(Benth. ex Hook. f.) Kudo

科属：唇形科，独一味属。

生境：碎石滩中或石质高山草甸、河滩地。

花期：6~7 月。

无茎多年生草本。叶片常 4 枚，辐状两两相对，菱状圆形、菱形、扇形、肾形以至三角形，先端钝、圆形或急尖，基部浅心形或宽楔形，下延至柄，边缘具圆齿，上面绿色，密被白色疏柔毛，具皱，下面较淡，仅沿上疏被短柔毛，侧脉 3~5 对，在叶片中部以下生出，其上再一侧分枝，而呈扇形，与中肋均两面凸起。轮伞花序密集排列成有短葶的头状或穗状花序。花冠外被微柔毛，内面在冠筒中部密被微柔毛，冠筒管状。

②③④

jiǎbǎihé

假百合

Notholirion bulbuliferum (Lingelsh. ex H. Limpr.) Stearn

科属：百合科，假百合属。
生境：高山草丛或灌木丛中。
花期：7月。

多年生草本。小鳞茎多数，卵形，淡褐色。基生叶数枚，带形；茎叶条状披针形。总状花序具 10~24 朵花；苞片叶状，条形；花梗稍弯曲花淡紫色或蓝紫色；花被片倒卵形或倒披针形，先端绿色；雄蕊与花被近等长；子房淡紫色；柱头 3 裂，裂片稍反卷。蒴果矩圆形或倒卵状矩圆形有钝棱。①②③

相近种　**钟花假百合** ***Notholirion campanulatum*** Cotton & Stearn 总状花序，具 10~16 朵；花钟形，红色、暗红色、粉红色至红紫色，下垂；花被片倒卵状披针形先端绿色④。

liǔlán

柳兰

Chamerion angustifolium (L.) Holub

科属：柳叶菜科，柳兰属。
生境：山区半开阔或开阔较湿润处。
花期：6~9 月。

多年生丛生草本。叶螺旋状互生，线状披针形或窄披针形，基部钝圆，
无柄。花序总状；苞片下部的叶状。花萼片紫红色，长圆状披针形；花瓣
粉红色或紫红色，稀白色，稍不等大，倒卵形或窄倒卵形，全缘或先端
具浅凹缺；花药长圆形；花柱开放时强烈反折，花后直立，柱头 4 深裂。
①②

相近种　网脉柳兰 ***Chamerion conspersum*** (Hausskn.) Holub 花下垂，淡红紫色③。
柳叶菜 ***Epilobium hirsutum*** L. 总状花序，花直立，玫瑰红色、粉红色或紫红色④。

mìménghuā

密蒙花 黄饭花，羊耳朵

Buddleja officinalis Maxim.

科属：马钱科，醉鱼草属。

生境：石灰岩山地、阳坡、河边或林缘。

花期：2~4 月。

1

2

3

4

灌木。叶对生，纸质，窄椭圆形、长卵形或卵状披针形，先端渐尖，基部楔形，常全缘，稀疏生锯齿。花密集成圆锥状聚伞花序。花萼及花冠密被星状毛；花冠白色或淡紫色，喉部橘黄色。蒴果椭圆形，2 瓣裂。种子两端具翅。①②

相近种 **大叶醉鱼草** ***Buddleja davidii*** Franch. 总状或圆锥状聚伞花序顶生，花萼钟状，花冠淡紫色、黄白色至白色，喉部橙黄色，芳香③。**醉鱼草** ***Buddleja lindleyana*** Fortune 穗状聚伞花序顶生，花紫色，芳香，花冠筒弯曲④。

qiānqūcài

千屈菜

Lythrum salicaria L.

科属：千屈菜科，千屈菜属。
生境：河岸、湖畔、溪沟边和潮湿草地。
花期：7~9月。

多年生草本。宿根木质状。茎直立，多分枝，四棱形或六棱形。叶对
生或3枚轮生，狭披针形，先端钝或渐尖，基部心形或圆形，无柄，有
时略抱茎，全缘。总状花序顶生；苞片阔披针形或三角状卵形。花两性，
数朵簇生于叶状苞片腋内，具短梗；花萼筒状，顶端具6枚齿；萼片6枚，
三角形；附属体线状，直立；花瓣6枚，紫色，生于萼筒上部；雄蕊12枚，
6长6短，排成2轮；子房上位，2室。蒴果包藏于萼内，椭圆形，2裂，
裂片再2裂。①②③④

wànshòuzhú

万寿竹

Disporum cantoniense (Lour.) Merr.

科属：百合科，万寿竹属。
生境：灌丛中或林下。
花期：5~7 月。

多年生直立草本。根状茎粗，多少匍匐。根粗长，肉质。茎上部有较多叉状分枝。叶纸质，披针形或窄椭圆状披针形，先端渐尖或长渐尖，基部近圆。伞形花序有 3~10 朵花，着生与上部叶对生的短枝顶端。花紫色花被片斜出，倒披针形，边缘有乳头状突起；雄蕊内藏。浆果。①②③

相近种　长蕊万寿竹 ***Disporum bodinieri*** (H. Lév. & Vaniot) F. T. Wang & Tang 伞形花序 2~6 朵花，生于茎顶枝顶。花被片白色或黄绿色，倒卵状披针形；花丝等长或稍长于花被片，花药伸出花被④。

zǐhuāsōushū

紫花溲疏

Deutzia purpurascens

(Franch. ex L. Henry) Rehder

科属：虎耳草科，溲疏属。
生境：灌丛中。
花期：4~6 月。

灌木。叶纸质，宽卵状披针形或卵状长圆形，先端渐尖，基部宽楔形或圆，具细锯齿。伞房状聚伞花序有 3~12 朵花。花蕾椭圆形或长圆形；萼筒杯状，裂片披针形或长圆状披针形；花瓣粉红色，倒卵形或椭圆形，内向镊合状排列。蒴果半圆形。①②③

相近种　**球花溲疏** ***Deutzia glomeruliflora*** Franch. 聚伞花序密集，稀开展，有~18 花。花蕾椭圆形；花瓣白色，倒卵状椭圆形，内向镊合状排列④。

xiǎoquèhuā

小雀花 多花胡枝子

Campylotropis polyantha (Franch.) Schindl.

科属：豆科，杭子梢属。

生境：石质山地、林缘、沟旁或干旱地。

花期：3~11 月。

灌木。叶具 3 枚小叶，椭圆形至楔状倒卵形，先端圆钝，微凹，具 刺尖，基部圆或近楔形。总状花序常顶生形成圆锥花序，有时短缩密集；花萼中裂片微深裂或微浅裂，上部裂片大部分合生；花冠粉红色、淡红 色或近白色，龙骨瓣呈直角或钝角内弯，瓣片上部较下部短。荚果椭圆 或斜卵形，两端渐窄。①②③

相近种 **丝梗杭子梢** ***Campylotropis yunnanensis*** subsp. ***filipes*** (Ricker) Iokawa & Ohashi 花冠粉红色或近白色，龙骨瓣呈锐角或近直角内弯④。

zǐhuāsuìmǐjì

石芥菜 **紫花碎米荠**

Cardamine tangutorum O. E. Schulz

科属：十字花科，碎米荠属。
生境：高山山沟草地及林下阴湿处。
花期：5~8月。

多年生草本。基生叶具长柄，叶羽状，小叶3~5对，长椭圆形，先端尖，基部楔形，有锯齿，无小叶柄；茎生叶1~3枚，生于茎中上部。花序顶生。萼片外面带紫色；花瓣紫色或淡紫色，先端平截，基部渐窄成爪；花丝扁。长角果，果柄直立。①②

相近种 **大叶碎米荠** ***Cardamine macrophylla*** Willd. 花序顶生和腋生，萼片外面淡红色，花瓣紫红色或淡紫色，先端圆③。**诸葛菜** ***Orychophragmus violaceus*** (L.) O. E. Schulz 花紫色或白色，萼片紫色，花瓣宽倒卵形④。

ālābópópónà

阿拉伯婆婆纳 波斯婆婆纳

Veronica persica Poir.

科属：玄参科，婆婆纳属。

生境：路边或荒野地。

花期：3~5 月。

铺散多分枝草本。叶 2~4 对，卵形或圆形，基部浅心形，平截或浑圆
边缘具钝齿。总状花序梗比叶柄长数倍，苞片互生，与叶同形近等大，
萼果期增大，裂片卵状披针形，花冠蓝色、紫色或蓝紫色，裂片卵形或
形；雄蕊短于花冠。蒴果肾形，宿存花柱超出凹口。种子背面具深横纹。
①②③

相近种　**婆婆纳** ***Veronica polita*** Fr. 花冠淡紫色、蓝色、粉色或白色，裂片
形至卵形；雄蕊比花冠短④。

tuǒyuányèhuāmáo

椭圆叶花锚

Halenia elliptica D. Don

科属：龙胆科，花锚属。

生境：高山林地、草地、灌丛或水沟边。

花期：7~9 月。

一年生草本。茎直立、上部分枝。基生叶椭圆形，先端圆或钝尖，茎生叶卵形至卵状披针形，先端钝圆或尖。聚伞花序顶生及腋生，花萼裂片椭圆形或卵形，先端渐尖，花冠蓝色或紫色，冠筒裂片卵圆形，距约为冠筒长度的 3 倍，向外水平开展；子房卵圆形。蒴果宽卵圆形，种子椭圆形或近圆形。①②③④

éméijùyèbàochūn

峨眉苣叶报春

Primula sonchifolia
subsp. ***emeiensis*** C. M. Hu

科属：报春花科，报春花属。
生境：林下和山坡草地。
花期：5 月。

近危种。多年生草本。叶矩圆形至倒卵状矩圆形，叶羽状分裂，裂深达叶片每侧的 2/3。花葶初期甚短，盛花期通常与叶丛近等长；伞形花序 3 至多花；苞片卵状三角形至卵状披针形，被淡黄色粉或仅具粉质小腺体；花萼钟状，外面通常被黄粉，果时稍增大，呈杯状，分裂约达全长的 1/3，裂片卵形至近四方形，先端钝，具小齿或有时全缘；花冠蓝色至红色稀白色，花冠裂片倒卵状矩圆形至椭圆形，全缘。蒴果近圆形。①②③④

jiǎsuānjiāng

假酸浆

Nicandra physalodes (L.) Gaertn.

科属：茄科，假酸浆属。
生境：田边、荒地或住宅区。
花期：夏秋季。

一年生直立草本。叶互生，卵形或椭圆形，先端尖或短渐尖，基部楔形，具粗齿或浅裂。花单生叶腋，俯垂。花萼钟状，5深裂近基部，裂片宽卵形，先端尖，基部心脏状箭形，具2尖耳片，果时增大成5棱状，宿存；花冠钟状，淡蓝色，冠檐5浅裂，裂片宽短；雄蕊5枚，内藏，花丝基部宽；柱头3~5浅裂。浆果圆形，黄色或褐色，为宿萼包被。①②③

相近种　沟酸浆 ***Mimulus tenellus*** Bunge 花单生叶腋；花萼圆筒形；花冠漏斗状，黄色，喉部有红色斑点，唇短④。

jiégěng

桔梗 铃当花

Platycodon grandiflorus (Jacq.) A. DC.

科属：桔梗科，桔梗属。

生境：阳处草丛、灌丛中，少生于林下。

花期：7~9 月。

多年生草本。叶轮生、部分轮生至全部互生，卵形、卵状椭圆形或披针形。花单朵顶生，或数朵集成假总状花序，或有花序分枝而集成圆锥花序；花冠漏斗状钟形，蓝色或紫色，5 裂；雄蕊 5 枚，离生，花丝基部扩大成片状；蒴果球状至倒卵圆形。①②

相近种 **松叶鸡蛋参** ***Codonopsis graminifolia*** H. Lév. 叶常集中于茎中下部，密集，叶片极狭长，通常条形或近于针状③。**鸡蛋参** ***Codonopsis convolvulacea*** Ku 花冠辐状而近 5 全裂，裂片椭圆形，淡蓝色或蓝紫色④。

lányùzānlóngdǎn

蓝玉簪龙胆

Gentiana veitchiorum Hemsl.

科属：龙胆科，龙胆属。
生境：草地、河滩、草甸、灌丛及林下。
花期：6~10月。

多年生矮小草本。花枝丛生。莲座丛叶线状披针形。花单生枝顶。花梗；萼筒带紫色，裂片与上部叶同形；花冠上部深蓝色，下部黄绿色，深蓝色条纹及斑点，窄漏斗形或漏斗形，裂片卵状三角形，褶宽卵形，缘啮蚀状。蒴果内藏，椭圆形或卵状椭圆形。①②

相近种　**阿墩子龙胆** ***Gentiana atuntsiensis*** W. W. Sm. 花多数，花冠深蓝色，有具蓝色斑点③。**七叶龙胆** ***Gentiana arethusae*** var. ***delicatula*** C. Marquand 花单生枝顶，萼筒常带紫红色，花冠淡蓝色④。

tóngqiányèbáizhū

铜钱叶白珠

Gaultheria nummularioides D. Don

科属：杜鹃花科，白珠树属。

生境：常绿阔叶林或针叶林下。

花期：7~10 月。

平卧小灌木。茎密被褐色长硬毛。叶宽卵形、近圆形或椭圆形，先锐尖，具小短尖头，基部钝、平截、圆或近心形，稀楔形，边缘有细齿齿尖具细刚毛，上面无毛，下面被细刚毛，有时具红色细点。花单生叶腋5 裂。苞片卵状三角形；小苞片 2~4 枚，兜状，龙骨状突起，无毛，宿存花萼无毛，裂片卵形；花冠白色、淡红色或淡紫色，钟状。果圆形，蓝色或黑色。①②③④

xiǎolánxuěhuā

九结莲，紫金标 **小蓝雪花**

Ceratostigma minus Stapf ex Prain

科属：白花丹科，蓝雪花属。
生境：干热河谷灌丛中。
花期：7~10 月。

落叶灌木。叶倒卵形、匙形或近菱形，先端钝或圆，稀具短尖头，基楔形。花序顶生及侧生，侧生花序具 1~9 朵花，顶生花序具 5~16 朵花。冠筒部紫色，花冠裂片蓝色，倒三角形，顶端微缺具丝状突尖；雄蕊稍出花冠喉部，花药蓝色或紫色。蒴果卵圆形。①②③

相近种　岷江蓝雪花 ***Ceratostigma willmottianum*** Stapf 花序顶生及腋生，具 ~7 朵花，有时花序簇生成头状。花冠裂片蓝色，倒三角形，先端微缺，花药红色④。

xìyèlánzhōnghuā

细叶蓝钟花

Cyananthus delavayi Franch.

科属：桔梗科，蓝钟花属。

生境：石灰质山坡草地或林边碎石地上。

花期：9月。

多年生草本。叶互生，花下 3~5 枚聚集而呈轮生状；叶片近圆形或卵状三角形，先端圆钝，边缘微反卷。花单生于主茎和部分分枝的顶端；花萼筒状，底部圆钝，果期下部膨胀，裂片狭三角形；花冠深蓝色，筒钟形。①②

相近种　**蓝钟喉毛花** ***Comastoma cyananthiflorum*** (Franch.) Holub 花 5 数，生枝端，花萼绿色，长约为花冠的 1/3，花冠蓝色，高脚杯状③。**美丽蓝钟** ***Cyananthus formosus*** Diels 叶菱扇形，先端裂齿长宽近相等，基部宽楔形，近平截④

biǎnzhúlán

扁竹，扁竹根 # 扁竹兰

Iris confusa Sealy

科属：鸢尾科，鸢尾属。
生境：林缘、疏林、沟谷湿地或山坡草地。
花期：4月。

多年生草本。茎扁圆柱形，节明显。叶10余枚密生茎顶，呈扇形，叶片宽剑形。花茎生于茎顶叶丛中，总状分枝；苞片4~6枚，卵形，膜质，包3~5朵花。花淡蓝色或白色；外花被裂片椭圆形，中部有深紫和黄色斑纹，中脉有淡黄色鸡冠状附属物，内花被裂片倒宽披针形，先端微凹。①②

相近种　**黄花鸢尾** ***Iris wilsonii*** C. H. Wright 花黄色，外花被裂片有褐色条纹及斑点，内花被裂片倒披针形③。**鸢尾** ***Iris tectorum*** Maxim. 花大，蓝紫色，外花被裂片有紫褐色花斑④。

xīnányuānwěi

西南鸢尾 空茎鸢尾

Iris bulleyana Dykes

科属：鸢尾科，鸢尾属。

生境：山坡草地或溪流旁的湿地上。

花期：6~7 月。

多年生草本。根状茎较粗壮，斜伸。叶基生，线形，无明显中脉。花茎中空，有2~3 枚茎生叶；苞片 2~3 枚，膜质，绿色，边缘带红褐色，包 1~2 朵花。花天蓝色；外花被裂片倒卵形，无附属物，有蓝紫色斑点及条纹，内花被裂片披针形或宽披针形，花药乳白色；花柱分枝片状，蓝紫色，顶端裂片近方形，子房绿色，钝三角形。蒴果三棱状柱形。①②③

相近种　紫苞鸢尾 ***Iris ruthenica*** Ker Gawl. 植株较矮小，花淡蓝色或蓝紫色，花被管具深色条纹及斑点④。

yúnnánzǐwǎn

云南紫菀

Aster yunnanensis Franch.

科属：菊科，紫菀属。
生境：高山及亚高山草地。
花期：7~9 月。

多年生草本。茎直立，单生或与莲座状叶丛生，粗壮，基部叶在花期枯萎，下部叶及莲座状叶长圆形，倒披针状或匙状长圆形。头状花序在茎枝端单生。总苞半圆形，总苞片 2 层，卵圆状或线状披针形；舌状花0~120 朵；舌片蓝色或浅蓝色，下部较狭；管状花上部黄色。瘦果长圆形，上部有黄色腺点。①②③

相近种　**缘毛紫菀** ***Aster souliei*** Franch. 头状花序单生茎端，总苞片 3 层，线状，或匙状圆形，舌状花黄色④。

dàhuāmáolínjú

大花毛鳞菊 大花蓝岩参

Melanoseris atropurpurea
(Franchet) N. Kilian & Ze H.Wang

科属：菊科，毛鳞菊属。
生境：山坡林缘、林下及灌丛中。
花期：7~11 月。

多年生草本。基生叶椭圆形，大头羽状或羽状深裂或全裂，基部下
叶轴成窄翼；中下部茎生叶与基生叶同形并等样分裂，顶裂片卵形至三
状戟形，侧裂片数量略多。头状花序排成疏散长总状花序，总苞宽钟状，
总苞片覆瓦状排列。舌状小花约 30 朵，蓝色或蓝紫色。瘦果黑褐色，
披针形。①②③

相近种　蓝花毛鳞菊 ***Melanoseris cyanea*** (D. Don) Edgew. 头状花序排成总状
圆锥状花序，具 11~14 朵舌状小花；总苞钟状。舌状小花紫红色④。

dàotíhú

蓝布裙 倒提壶

Cynoglossum amabile Stapf & J. R. Drumm.

科属：紫草科，琉璃草属。
生境：草地、灌丛及针叶林缘。
花期：6~9 月。

多年生草本。基生叶长圆状披针形或宽披针形，茎生叶长圆形或窄长圆形，基部近圆，叶柄短或近无柄。花序分枝疏，呈锐角开展；花萼裂片卵形或长圆形；花冠常蓝色，裂片近圆形，喉部附属物梯形；花丝极短，生于花冠筒中部。小坚果卵圆形。①②③

相近种 **琉璃草** ***Cynoglossum furcatum*** Wall. 花序顶生及腋生，分枝钝角叉状分开，花萼果期稍增大，花冠蓝色，漏斗状，喉部有 5 个梯形附属物④。

fèngyǎnlán

凤眼蓝 凤眼莲，水葫芦

Eichhornia crassipes (Mart.) Solms

科属：雨久花科，凤眼蓝属。

生境：水塘、沟渠及稻田中。

花期：7~10 月。

浮水草本。叶基生，莲座状排列，5~10 枚，圆形至宽菱形，先端圆或微尖，基部宽楔形，全缘，质厚；叶柄中部膨大，基部有鞘状苞片。穗状花序从叶柄基部的鞘状苞片腋内伸出，常具 9~12 朵花。花被片基合生成筒，裂片 6 枚，花瓣状，卵形至长圆形，紫蓝色，花冠近两侧对称中央有 1 黄色圆斑。①②③

相近种　**鸭舌草** ***Monochoria vaginalis*** (Burm. f.) C. Presl ex Kunth 植株矮小。状花序生枝上端叶腋。花蓝色；花被片卵状披针形或长圆形④。

cuìquè

鸽子花，鸡爪连图 **翠雀**

Delphinium grandiflorum L.

科属：毛茛科，翠雀属。

生境：山地草坡或丘陵沙地。

花期：5~10 月。

多年生草本。基生叶与茎下部叶具长柄，叶片圆五角形，3 深裂，中裂片全裂。总状花序，花 3~15 朵，下部苞片叶状，上部苞片条形。萼片 5 枚，蓝紫色，椭圆形；距钻形；花瓣蓝色，顶端圆形；退化雄蕊蓝色；雄蕊多数；心皮 3 枚，直立。①②

相近种　**宽距翠雀花** ***Delphinium beesianum*** W. W. Sm. 伞房花序有 1~5 朵花，萼片蓝色或蓝紫色，距钻状圆筒形③。**康定翠雀花** ***Delphinium tatsienense*** Franch. 伞房状总状花序具 3~12 朵花，蓝色，距钻形④。

huángcǎowū

黄草乌 大草乌，昆明乌头

Aconitum vilmorinianum Kom.

科属：毛茛科，乌头属。

生境：山地灌丛中。

花期：8~10月。

多年生草本。茎缠绕。叶片坚纸质，五角形，基部宽心形，三全裂达或近基部，中央全裂片宽菱形，急尖或短渐尖，侧裂片斜扇形，不等二裂稍超过中部；叶柄与叶片近等长。花序有 3~6 朵花；小苞片生花梗中部或下部，狭线形；萼片紫蓝色，上萼片高盔形，与外缘形成向下展的喙。蓇葖直。①②

相近种 **乌头** ***Aconitum carmichaelii*** Debeaux 萼片蓝紫色，唇微凹，距通常拳卷③。**短柄乌头** ***Aconitum brachypodum*** Diels 萼片紫蓝色，上萼片盔形或盔状船形具爪，花瓣上部弯曲④。

yuányèjīngǔcǎo

圆叶筋骨草

Ajuga ovalifolia Bureau & Franch.

科属：唇形科，筋骨草属。

生境：草坡或灌丛中。

花期：6~8 月。

一年生草本。叶长圆状椭圆形或宽卵状椭圆形，先端钝或圆，基部楔形下延，具齿；叶柄具窄翅。轮伞花序 3~4 个，组成顶生近头状穗状花序；苞叶卵形或椭圆形，下部苞叶紫绿色、紫红色或紫蓝色，具圆齿或全缘。花萼管状钟形，萼齿长三角形或线状披针形；花冠红紫色或蓝色，筒状微弯，上唇裂片圆形，下唇中裂片扇形，侧裂片圆形。①②③

相近种　**白苞筋骨草** ***Ajuga lupulina*** Maxim. 轮伞花序组成穗状花序，苞叶白黄色、白色或绿紫色，卵形或宽卵形，花冠白色④。

xīzàngshānhújùtái

西藏珊瑚苣苔

Corallodiscus lanuginosus

(Wall. ex DC.) B. L. Burtt

科属：苦苣苔科，珊瑚苣苔属。

生境：山坡岩石上。

花期：4~10 月。

多年生草本。叶全部基生，莲座状，外层叶具柄；叶片革质，卵形至长圆形，顶端圆形，基部楔形，边缘具齿，上面平展，有时具不明显的皱褶。聚伞花序 2~3 次分枝，1~5 条，每花序具 3~10 朵花；苞片不存在。花冠筒状，淡紫色、紫蓝色。蒴果线形。①②

相近种 **吊石苣苔** ***Lysionotus pauciflorus*** Maxim. 花序有 1~2 朵花，花冠白色带淡紫色条纹或淡紫色③。**长冠苣苔** ***Rhabdothamnopsis sinensis*** Hemsl. 花单生茎顶叶腋，花萼 5 裂至近基部，花冠筒状④。

lánhuājiǔ

蓝花韭

Allium beesianum W. W. Sm.

科属：百合科，葱属。

生境：山坡或草地上。

花期：8~10月。

多年生草本。叶条形，比花葶短。花葶圆柱状，中部以下被叶鞘；总苞单侧开裂，早落；伞形花序半球状，少花，较疏散；小花梗近等长，近等长于或短于花被片，基部无小苞片；花长，狭钟状，蓝色；花被片狭矩圆形至狭卵状矩圆形，先端钝圆，边缘全缘，外轮的常比内轮的稍短而宽；花丝近等长，常为花被片长的4/5。①②

相近种　**太白韭** ***Allium prattii*** C. H. Wright 花紫红色或淡红色，稀近白色③。**高山韭** ***Allium sikkimense*** Baker 花多而密集，天蓝色④。

jiàngēnshǔ

箭根薯 大叶屈头鸡，蒟蒻薯

Tacca chantrieri Andre

科属：蒟蒻薯科，蒟蒻薯属。

生境：水边、林下、山谷阴湿处。

花期：4~11 月。

近危种。多年生草本。根状茎粗壮，近圆柱形。叶片长圆形或长圆状椭圆形，顶端短尾尖，基部楔形或圆楔形，两侧稍不相等，无毛或背面有细柔毛；叶柄基部有鞘。花葶较长；总苞片 4 枚，暗紫色，外轮 2 枚卵状披针形，顶端渐尖，内轮 2 枚阔卵形；小苞片线形；伞形花序有花 5~朵；花被裂片 6 枚，紫褐色，外轮花被裂片披针形。浆果肉质，椭圆形，具 6 棱，紫褐色。①②③④

lìsèshǔwěicǎo

栗色鼠尾草

Salvia castanea Diels

科属：唇形科，鼠尾草属。
生境：疏林、林缘或林缘草地。
花期：5~9 月。

多年生草本。叶椭圆状披针形或长圆状卵形，先端钝或稍尖，基部近形，具齿。轮伞花序具 2~4 朵花，疏离，组成总状或圆锥状花序；花钟形；花冠紫褐色、褐色或深紫色。小坚果倒卵圆形。①②

相近种　甘西鼠尾草 ***Salvia przewalskii*** Maxim. 轮伞花序具花 2~4 朵，疏散，成顶生总状或圆锥状花序，花冠紫红色或红褐色③。**黄花鼠尾草** ***Salvia flava*** rrest ex Diels 轮伞花序具花 4 朵，4~8 个组成顶生疏散总状或圆锥花序，花冠色④。

dàbǎibù

大百部 对叶百部，九重根

Stemona tuberosa Lour.

科属：百部科，百部属。

生境：丛林、溪边及山谷和阴湿岩石中。

花期：4~7 月。

多年生攀援草本。茎少分枝，攀缘状。叶对生或轮生，稀兼有互生，卵状披针形或卵形，基部心形，边缘稍波状。花单生或2~3 朵组成总状花序生于叶腋，稀贴生叶柄。花被片黄绿色带紫色脉纹，先端渐尖，内轮比轮稍宽；雄蕊紫红色，短于花被或近等长，花丝粗，花药顶端具短钻状属物；子房卵形。①②③④

dàzhōnghuā

大钟花

Megacodon stylophorus

(C. B. Clarke) Harry Sm.

科属：龙胆科，大钟花属。

生境：草地、林缘、灌丛及水沟边。

花期：6~9 月。

多年生草本。高达 0.6~1 米。茎直伸，粗壮，不分枝。基部 2~4 对叶
莫质，卵形，中上部叶草质，卵状椭圆形或椭圆形，先端钝，基部楔形或圆；
上部叶卵状披针形。假总状聚伞花序具花 2~8 朵，顶生及腋生。花萼钟形，
萼筒短，宽漏斗形，裂片卵状披针形，先端渐尖花冠黄绿色，具绿及褐色
网脉，钟形，裂片长圆状匙形，先端圆；子房无柄，圆锥形。蒴果椭圆状
披针形。种子长圆形，具纵脊。①②③④

língdāngzi

铃铛子 藏茄，山茛

Anisodus luridus Link

科属：茄科，山莨菪属。
生境：草坡、山地溪旁。
花期：5~8 月。

多年生草本。根粗壮，黄褐色。叶卵形或椭圆形，先端尖或渐尖，基部楔形或稍下延，全缘或微波状，稀具齿。花俯垂；花萼钟状，肋呈折皱状，弯曲；花冠钟状，淡黄绿色或有时裂片带淡紫色，冠檐裂片半圆形，常具不规则细齿；雄蕊长约为花冠的 1/2；花盘黄白色。果圆形或近卵圆形①②③

相近种　山莨菪 ***Anisodus tanguticus*** (Maxim.) Pascher 花俯垂；花萼钟状或漏斗状钟形；花冠钟状或漏斗状钟形，紫色或暗紫色，内藏或仅冠檐露出④。

zhāngyácài

獐牙菜

蓑衣草，紫花青叶胆

Swertia bimaculata (Siebold & Zucc.) Hook. f. & Thomson ex C. B. Clarke

科属：龙胆科，獐牙菜属。

生境：河滩、山坡草地、林地、沼泽地。

花期：6~11 月。

一年生草本。基生叶花期枯萎，茎生叶椭圆形或卵状披针形。圆锥状复聚伞花序疏散，花 5 数；花萼绿色，裂片窄倒披针形或窄椭圆形，基部窄缩，边缘白色膜质，常外卷；花冠黄色，上部具紫色小斑点，裂片椭圆形或长圆形，先端渐尖或尖，基部窄缩，中部具 2 个黄绿色、半圆形大腺斑。蒴果窄卵圆形。①②③

相近种　二叶獐牙菜 ***Swertia bifolia*** Batalin 聚伞花序具 2~8 朵花，花 5 数，花萼有时带蓝色，花冠蓝色或深蓝色，裂片椭圆状披针形或窄椭圆形④。

xīnánbáitóuwēng

西南白头翁

Pulsatilla millefolium

(Hemsl. & E. H. Wilson) Ulbr.

科属：毛茛科，白头翁属。
生境：山坡路边、灌丛中或高山栎林中。
花期：5~7 月。

草本。基生叶 5~14 枚，有短柄，为三回羽状复叶，在开花时已长大；叶片卵状椭圆形或卵状长圆形，羽片 5~6 对，二回羽状细裂，末回裂片三角形或狭卵形，顶端锐尖。花葶 1 枝，直立；总苞钟形，苞片细裂，末回裂片披针状线形；花直立；萼片淡黄绿色、黄色或红紫色，卵状椭圆形。瘦果宿存花柱。①②③

相近种 **白头翁** ***Pulsatilla chinensis*** (Bunge) Regel 花葶 1~2 枝，花直立，萼片 6 枚，蓝紫色，长圆状卵形④。

bāoyèxuělián

苞叶风毛菊 苞叶雪莲

Saussurea obvallata (DC.) Sch. Bip.

科属：菊科，风毛菊属。
生境：草地、溪边石隙处或流石滩。
花期：7~9 月。

1

2

3

4

多年生草本。基生叶长椭圆形、长圆形或卵形，有细齿，具长柄；茎生叶与基生叶同形、等大，无柄；最上部叶苞叶状；长椭圆状或卵状长圆形，膜质，黄色，包被总花序。头状花序在茎端密集成圆形总花序；总苞半圆形，总苞片 4 层，边缘黑紫色。小花蓝紫色。瘦果长圆形；冠毛 2 层，淡褐色，外层糙毛状，内层羽毛状。①②③

相近种　水母雪兔子 ***Saussurea medusa*** Maxim. 头状花序在茎端密集成半球形总花序，总苞窄圆柱状，总苞片 3 层，近等长。小花蓝紫色④。

qīyèyīzhīhuā

七叶一枝花 蚤休

Paris polyphylla Sm.

科属：百合科，重楼属。
生境：林下。
花期：4~6 月。

多年生草本。叶 5~11 枚，长圆形、倒卵状长圆形或倒披针形，绿色，膜质或纸质；具叶柄。花梗明显，花 3~7 基数；萼片绿色，披针形，花瓣线形，有时具短爪，黄绿色，有时基部黄绿色，上部紫色；子房紫色，具棱或翅。蒴果近圆形，绿色，不规则开裂。①②③④

shānyùlán

山波萝，优昙花 **山玉兰**

Lirianthe delavayi

(Franch.) N. H. Xia & C. Y. Wu

科属：木兰科，长喙木兰属。
生境：阔叶林中或沟边较潮湿的坡地。
花期：4~6月。

1

2

3

4

常绿乔木。叶厚革质，卵形至卵状长圆形，边缘波状。花梗直立，花芳香，杯状，花被片 9~10 枚，外轮 3 枚淡绿色，长圆形，外卷，内 2 轮乳白色，倒卵状匙形，较大，内轮较窄。①②

相近种　玉兰 ***Yulania denudata*** (Desr.) D. L. Fu 花凋谢后发叶，芳香，花被片枚，白色，基部常粉红色③。**紫玉兰** ***Yulania liliiflora*** (Desr.) D. L. Fu 花叶同放或谢后叶开放，花被片 9~12 枚，外轮 3 片萼片状，紫绿色，内 2 轮肉质，紫色或紫红色，花瓣状④。

fěnyèyùfènghuā

粉叶玉凤花

Habenaria glaucifolia Bureau & Franch.

科属：兰科，玉凤花属。

生境：山坡林下、灌丛下或草地上。

花期：7~8 月。

地生草本。茎基部具 2 枚近对生的叶，其上无或具 1~3 枚鞘状苞片。叶较肥厚，近圆形或卵圆形，先端骤短尖或近渐尖，基部钝圆，抱茎。花序具 3~10 余朵花。苞片披针形或卵形，较子房短；花白色或白带绿色；中萼片卵形或长圆形，直立，舟状。①②

相近种　**鹅毛玉凤花** ***Habenaria dentata*** (Sw.) Schltr. 花白色，中萼片宽卵形，直立，凹入，与花瓣靠合呈兜状，侧萼片斜卵形③。**橙黄玉凤花** ***Habenar rhodocheila*** Hance 萼片和花瓣绿色，唇瓣红色、橙红色或橙黄色④。

huǒshāolán

小花火烧兰 **火烧兰**

Epipactis helleborine (L.) Crantz

科属：兰科，火烧兰属。

生境：山坡林下、草丛或沟边。

花期：7 月。

地生草本。植株高达 70 厘米。叶 4~7 枚，卵圆形或椭圆状披针形，向上渐窄成披针形或线状披针形。花序长达 30 厘米，具 3~40 朵花。苞片叶状，下部的长于花 2~3 倍或更多，向上渐短；花绿色或淡紫色，下垂；中萼片卵状披针形，稀椭圆形，舟状，侧萼片斜倒卵状披针形；花瓣椭圆形。蒴果倒卵状椭圆形。①②③

相近种　**大叶火烧兰** ***Epipactis mairei*** Schltr. 花序具花 10~20 余朵。花黄绿带紫色、紫褐色或黄褐色，下垂；中萼片椭圆形或倒卵状椭圆形，舟形④。

bāoyèdàihuáng

苞叶大黄 大苞大黄，水黄

Rheum alexandrae Batalin

科属：蓼科，大黄属。

生境：山坡草地，常长在较潮湿处。

花期：6~7月。

多年生中型草本。基生叶4~6枚，茎生叶及叶状苞片多数，长卵形至倒卵状椭圆形，下部叶柄与叶片近等长或稍长，上部叶柄较短或无柄。花序总状，常2~3枝成丛或稍多，花数朵簇生。花被6枚，绿色，基部合成杯状，裂片椭圆形。果菱状椭圆形，顶端微凹。①②

相近种 **掌叶大黄** ***Rheum palmatum*** L. 叶通常成掌状半5裂，花序圆锥状，顶生，不被叶或苞片所遮盖③。**塔黄** ***Rheum nobile*** Hook. f. & Thomson 植株较高大，茎生叶及苞片卵圆形至圆形，果实宽卵形④。

jīnsùlán

珍珠兰，珠兰 **金粟兰**

Chloranthus spicatus (Thunb.) Makino

科属：金粟兰科，金粟兰属。
生境：山坡、沟谷密林下。
花期：4~7月。

半灌木。直立或稍平卧。叶对生，厚纸质，椭圆形或倒卵状椭圆形，顶端急尖或钝，基部楔形，边缘具圆齿状锯齿，齿端有一腺体，腹面深绿色，光亮，背面淡黄绿色；叶柄基部多少合生；托叶微小。穗状花序排列成圆锥花序状，通常顶生，少有腋生；苞片三角形；花小，黄绿色，极芳香。①②③

相近种　**毛脉金粟兰** ***Chloranthus holostegius*** var. ***trichoneurus*** K. F. Wu 叶对生，通常4枚生于茎顶。穗状花序顶生和腋生，通常1~5个聚生；花白色④。

xīyùjīngjiéhuā

西域旌节花 空藤杆，通条树

Stachyurus himalaicus

Hook. f. & Thomson ex Benth.

科属：旌节花科，旌节花属。

生境：山坡阔叶林下或灌丛中。

花期：3~4 月。

落叶灌木或小乔木。叶坚纸质或薄革质，披针形或长圆状披针形，先端渐尖或长渐尖，基部钝圆，具细密的锐锯齿，齿尖骨质并加粗，叶柄紫红色。穗状花序腋生，花黄色，萼片 4 枚，宽卵形，花瓣 4 枚，倒卵形；雄蕊 8 枚，通常短于花瓣，花药黄色；子房卵状长圆形。果近圆形，具宿存花柱。①②③

相近种　**中国旌节花** ***Stachyurus chinensis*** Franch. 本种与西域旌节花近似，但本种叶片卵形或长圆状卵形，基部圆形或微心形；花序较短，长 5~10 厘米④。

yībǎsǎnnánxīng

独角莲，虎掌南星 # 一把伞南星

Arisaema erubescens (Wall.) Schott

科属：天南星科，天南星属。

生境：林下、灌丛、草坡或荒地。

花期：5~7 月。

多年生草本。鳞叶绿白色或粉红色，有紫褐色斑纹。叶放射状分裂，裂片 3~20 枚不等，披针形至椭圆形。佛焰苞绿色，背面有白色或淡紫色条纹；雄肉穗花序花密，雄花淡绿至暗褐色，雄蕊 2~4 枚，附属器下部光滑。浆果红色。①②

相近种　**黄苞南星** ***Arisaema flavum*** subsp. ***tibeticum*** J. Murata 佛焰苞管部卵圆形或球形黄绿色，喉部略缢缩，上部深紫色③。**象南星** ***Arisaema elephas*** Buchet 花序梗绿色或淡紫色，佛焰苞青紫色，基部黄绿色，管部具白色条纹，上部深紫色④。

dàlángdú

大狼毒 霞山大戟，岩大戟

Euphorbia jolkinii Boiss.

科属：大戟科，大戟属。

生境：灌丛和疏林内草地、山坡。

花期：3~7 月。

易危种。多年生草本。茎多分枝。叶互生，卵状长圆形至椭圆形，先端钝尖或圆，基部渐狭或呈宽楔形或近平截。花序单生于二歧分枝顶端，基部无柄。雄花多数，明显伸出总苞之外；雌花 1 枚，子房柄伸出总苞之外蒴果球状。①②

相近种　大戟 ***Euphorbia pekinensis*** Rupr. 花序单生二歧分枝顶端，总苞杯状，边缘 4 裂，裂片半圆形③。泽漆 ***Euphorbia helioscopia*** L. 花序单生，总苞钟状，边缘 5 裂；雄花数朵，伸出总苞，雌花 1 朵④。

中文名索引

E

F

G

H

拉丁名索引

R

S

图片摄影者

（图片摄影者及页码、图片编号）

宋鼎 1②③,2①②③④,3①②③,4①②③④,5①②③④,6①②④,7①②③④,8①②③④,9①②③,10④,11
②③④,12②④,13①②③④,15①②③④,16④,18①②③,19③,20①②③④,22①②③④,23①②④,24①
④,25①②③④,26①②③④,28④,29①②③,30②③④,31①②③,32①③④,33②③,36①②③④,37③④,3
①②③④,39③,40②③④,41②,42①②③,43①②③,44③④,45①②③④,46①②④,47①②③④,48②③,4
①②③④,50①②③④,52①②③④,53①②③④,54④,55②③④,56①②③④,57①②③④,59①②③,61①
③,62②③④,63①②,64①②③④,66③④,67①②③,69①②③,70①③,71②,72①④,74②③,75①③④,76
,78①④,79①②③,80②③④,81①③④,82①②④,84①②④,85①②④,86①,87①②④,88①②③④,89③④
90②③,91①②③④,92①,94①③,95②③④,97①③,98①②④,99①④,100①②④,101②③④,102②④,10
②,105③,106①②,107①④,108①④,110①②③④,111①④,112①②③④,116①②③④,118①②③,119
④,120③,121①②③,122①③④,123②③,124①②,125①②④,126②,127①②③④,128①②④,129②③,
30①②③④,131①②,132①③,133①②,134①②③④,135①②,136①③④,137①②③④,138③,140①,14
②,142①②④,144①③④,145②,146①②③,147①②③④,148②③④,149④,150①②③,151③,152②③,
53①②,154④,155②③,156①,158③,159①②③,161①②③,162①③,163①②,164①②③,167①,168③,
70①②,171①②③,172①,173③④,174④,176①,178①②③,180②,181①②④,183①②③④,184①③,18
①,187②③,188①,190③,191①②③,192①④,193②,194③,195②,196①②③④,197②,198②,203①②④
204②,207①②,208②③④,210①②③,211①,212③,213③,214①③④,215①②③④,216①③④,217③④,
19④,221③,222①②③④,223①②③④,224①②,225③,226②,227②④,228④,230①② 陈又生 10②,1
②③,19②,27①②,28①,39④,48①④,55①,58①②,60①②③④,65③,68①②③④,70②,71④,77①②,78
,83④,86③,93②③④,96③,97④,103③,104④,105②,106③,107②③,109②③,114③,115①②③,117③,1
3④,125③,131③④,133③,139③,140②③,149②,154③,155①,159④,160③④,163③,165④,166④,167
,171④,175④,182③④,184④,186②,191④,194④,197④,198④,199③④,200①④,201②,202①②③④,2
4③,205①②③④,206①④,209③,210④,211②③,212①②,213①②,218①②③④,220①②③,221①②④,
25①④,226③,228② 李敏 12①,16①,18④,19①,30①,32②,35①②④,37①②,44①②,54①,62①,65①
④,72②,76①②,77③④,82③,83①,90①,94②,95①,96①,100③,101①,106④,117①②,119①,120②,121
,122②,123①,126④,129①,141①,143①,145①,148①,152①④,154①②,156②③,157③,162④,166①,1
8①,173①,174①③,177①,179④,187①④,188④,189③④,193①④,194①,197①③,198①,203③,204①
,208①,209①,211④,217①,220④,229①,230③ 刘冰 1④,10③,21②③,24③,27③,29④,35③,41①,51
,67④,69④,83③,86②,90④,92②,96④,97②,102①③,103④,105①,117④,126③,136②,139②,141③④,
42③,153③④,155④,156④,160②,163④,165①②,172④,175②,186④,190①②,193③,195④,198③,20
③,206②③,209②,213④,219②③ 刘军 14①②③④,17①,19④,21①,39②,63③,78②,84③,86④,87③,
2③,96②,109①,114④,119③,124④,133④,135③④,138④,139①,140④,143④,144②,146④,151①④,1
7①,158①④,160①,164④,169②,172②,173②,174②,180①③,182①②,185①,186③,190④,195③,216
,217②,219①,230④ 徐晔春 21④,33①④,34①②④,40①,41④,51①④,61④,74①,75②,76④,81②,83
,99③,105④,108②③,109④,111③,113④,118④,132②④,145④,157④,166②,168④,175①,176③④,17
②④,188②,192②③,201④,207③,214②,224④,227①③ 罗毅波 58④,73③,92④,124③,126①,138②,1
9③④,175③,178④,179①②③,181③,212④,225②,229③ 李西贝阳 41③,59④,73④,89①,115④,120
,128③,138①,151②,177③,180④ 周繇 17④,31④,54②③,129④,143③,169①,170③,189①② 惠肇

致　谢

本手册能在短期内顺利出版，首先得益于本套丛书的各位合作者马欣堂、周繇、刘军、李晓东、金宁、宋鼎、朱强的通力合作，以及前期大量的野外工作和丰富的植物图片积累。感谢对本书编撰出版付出辛劳的中国科学院植物研究所数字植物项目组的同仁，宣晶对全书数据进行了规范化整理，赵明月负责在线编辑程序开发和数据输出，薛艳莉和郝丽华对全部图片进行前期处理和编辑。同时也要感谢河南科学技术出版社领导给予的特别支持，感谢杨秀芳编辑和她的同事们。

本书所有图片由中国植物图像库（www.plantphoto.cn）代理授权，感谢每一位摄影者的奉献。感谢中国在线植物志（www.eflora.cn）提供《中国植物志》《Flora of China》的植物分类及形态信息，感谢中国科学院植物研究所系统与进化植物学国家重点实验室及科技部基础条件平台标本资源项目对相关网站建设的支撑资助。

感谢我们所有家人的理解和支持，感谢所有朋友的关心和帮助，你们的支持和关爱是我们最大的精神支柱。

最后，特别感谢您——亲爱的读者，您对本书的阅读、使用和推介是我们不断前行的动力。

李敏 谨识

二〇一四年九月于北京香山